GW00391876

Marie Darrieussecq

Être ici est une splendeur

Vie de Paula M. Becker

P.O.L

Marie Darrieussecq est née en 1969 au Pays basque. Elle a reçu le prix Médicis 2013 et le prix des Prix pour *Il faut beaucoup aimer les hommes*.

« Être ici est une splendeur. »
RILKE, *Élégies de Duino*

I

Elle a été ici. Sur la Terre et dans sa maison.

Dans sa maison on peut visiter trois pièces. Leur accès est limité par des rubans de velours rouge. Sur un chevalet, une reproduction de son dernier tableau, un bouquet de tournesols et de roses trémières.

Elle ne peignait pas que des fleurs.

Une porte peinte en gris, fermée à clef, menait à un étage où j'imaginais des fantômes. Et quand on sortait de la maison, on les voyait, Paula et Otto, les Modersohn-Becker. Pas des fantômes mais des monstres, en habit d'époque, très kitsch à la fenêtre de leur maison de morts, par-dessus la rue, par-dessus nos têtes de vivants. Un couple de mannequins de cire, d'une laideur bicéphale à la fenêtre de cette jolie maison de bois jaune.

*

L'horreur est là avec la splendeur, n'éludons pas, l'horreur de cette histoire, si une vie est une histoire : mourir à trente et un ans avec une œuvre devant soi et un bébé de dix-huit jours.

Et sa tombe : elle est horrible. À Worpswede, village confit dans le tourisme. Le Barbizon de l'Allemagne du Nord. L'ami sculpteur, Bernhard Hoetger, qui y va de son monument. Une grande stèle de granit et de briques : une femme à demi nue, allongée, plus grande que nature, un bébé nu assis sur son ventre. Comme si le bébé était mort aussi, mais il n'est pas mort : Mathilde Modersohn a vécu quatre-vingt-onze ans. Le monument est désormais abîmé par le temps, par le vent et la neige de Worpswede.

Paula Modersohn-Becker écrivait dans son journal, le 24 février 1902, cinq ans avant sa mort : « J'ai souvent pensé à ma tombe… Elle ne doit pas avoir de tertre. Il faut juste un rectangle avec des œillets blancs autour. Et autour encore, un modeste sentier de graviers, lui aussi bordé d'œillets, et un treillis de bois, tout simple, pour porter l'abondance de roses. Et il y aurait un petit portail pour que les gens me rendent visite, et au fond un tranquille petit banc pour que les gens s'assoient. Ce serait dans le cimetière de notre église de Worpswede, le long de la haie qui donne sur les champs, dans la partie ancienne, pas à l'autre bout. Peut-être aussi, à la tête de ma tombe, deux petits genévriers, et entre les deux une tablette de bois noir avec juste mon nom, pas de date, pas d'autres mots. C'est comme ça qu'il faudrait que ce soit… Et je voudrais peut-être aussi qu'il y ait un bol où les gens déposeraient des fleurs fraîches. »

Les gens qui vont la voir déposent les fleurs entre les genoux du bébé. Il y a des rosiers, oui, et des arbustes. Au centre de l'épitaphe sculptée dans le granit, le mot GOTT se détache en lettres majuscules. Un ami germanophone reconnaît un verset biblique, le 8:28 des Romains : « Toutes choses concourent au bien de ceux qui aiment DIEU. » Pour elle qui ne cite jamais le nom de Dieu, sauf quand elle lit Nietzsche.

Cette anticipation de la tombe : est-ce si bizarre, à vingt-six ans ? Otto a perdu sa première et jeune épouse : est-ce que la deuxième et jeune épouse n'a pas un pincement au cœur, en convolant avec ce veuf ? « J'ai porté de la bruyère sur la tombe de la femme qu'il appela un jour son amour. »

Les « prémonitions » de Paula l'ont figée en personnage romantique : la Jeune fille et la Mort. Dans ses très jeunes années, quand elle décrit les tableaux qu'elle a en tête, elle hésite à peindre des danses ou des funérailles, blanc éclatant et rouge assourdi… « Et si seulement l'amour veut bien éclore pour moi, avant que je m'en aille ; et si je peux peindre trois bons tableaux, alors je m'en irai contente, des fleurs dans les cheveux. »

*

Paula est jeune éternellement. Il reste d'elle une douzaine de photos.

Petite, menue. Les joues rondes. Des taches de rousseur. Un chignon flou, la raie au milieu. « D'un or florentin », dira Rilke.

Sa meilleure amie, Clara Westhoff, écrit le souvenir de leur rencontre en septembre 1898 : « Elle tenait sur ses genoux une bouilloire en cuivre qu'elle venait de faire réparer pour son emménagement. Elle était là, assise sur le tabouret des modèles, et me regardait travailler. La bouilloire avait la couleur de ses beaux cheveux épais [...], contrepoint à son visage léger et pétillant, avec son nez joliment courbe et finement dessiné. Elle levait la tête avec une expression de plaisir, comme faisant surface, et du fond de ses yeux sombres et brillants elle vous regardait avec intelligence et joie. »

*

Un dimanche du mois d'août 1900, les deux amies sont ensemble, c'est le soir, Paula essaie de lire mais lève souvent les yeux, il fait trop doux, la vie est trop belle, il faut aller danser.

Mais où ? Les deux jeunes filles, robe blanche à manches courtes, taille prise et chevilles cachées, errent dans le village désert. Le ciel est rouge sur Worpswede. La colline avec l'église domine le pays très plat. Une inspiration – elles grimpent au clocher… s'emparent des cordes, sonnent la grande et la petite cloche.

Scandale. L'instituteur accourt et s'enfuit en les reconnaissant : les deux jeunes bourgeoises, les deux artistes ! Le pasteur, hors d'haleine, siffle « Sacrosanctum ! ». Une petite foule s'amasse dans l'église. Les Brünjes, propriétaires de l'atelier de Paula, inventent un alibi : « Fräulein Westhoff et Fräulein Becker ? Impossible, elles étaient à Brême ! » Martin Finke, le fermier, jure qu'il aurait donné cinq sous pour être là. Et la petite bossue qui pèle les patates dans l'arrière-cuisine, hilare à écouter le récit de l'exploit.

Voilà, c'est une lettre de Paula à sa mère, le 13 août 1900. Faut-il aimer sa mère pour lui écrire d'aussi belles lettres, et si gaies. Paula y joint un dessin au fusain : elle, la petite blonde, agrippée à l'énorme cloche, biceps tendus et fesses en arrière ; Clara, la grande brune, éclatant de rire poings aux hanches. Celle qui épousera Otto Modersohn, et celle qui épousera Rainer Maria Rilke. La peintre morte jeune, et la sculptrice morte âgée, et encore plus oubliée.

Clara et Paula se sont rencontrées au cours de dessin du sévère Fritz Mackensen, à Worpswede. Elles seront meilleures amies sur fond d'études, d'amour, et de malentendu. Rien n'est plus solide que le malentendu. Voyez-les qui rentrent de leur cours en luge, à toute allure. Voyez-les plus tard à Paris, elles préparent cinq bouteilles de punch et deux gâteaux, un à l'amande, l'autre à la fraise, pour une fête d'étudiants. Voyez-les canoter sur la Marne, rossignols et peupliers. Voyez-les à Montmartre, résister en riant aux assauts d'une nonne qui veut les convertir. Voyez-les dévaler les sentiers de Meudon pour rendre visite à Rodin. Voyez-les à Worpswede encore, dans le regard des deux hommes qui les veulent, le peintre Modersohn et le poète Rilke.

*

Dans la famille Becker, tout le monde s'écrit beaucoup. C'est ainsi que l'on a des centaines de lettres de Paula, en plus de son journal et de son *album* de jeune fille. Paula est la troisième de la fratrie Becker. Ils sont six, il y a eu un septième frère mort petit. Le père, la mère, les oncles, les tantes, les frères, les sœurs, tous s'écrivent dès qu'ils s'éloignent, c'est un devoir familial, c'est un rituel, c'est une preuve d'amour.

À seize ans, partie en Angleterre chez sa tante Marie pour apprendre à tenir un ménage, Paula Becker rentre plus tôt que prévu. Elle s'est mise à dessiner, plus intensément que prévu. Sa mère l'y encourage et prend même une locataire pour financer ses cours. Et son père ne voit pas ça d'un trop mauvais œil, mais pour avoir un métier, l'enseignement. En septembre 1895, Paula a obtenu son diplôme d'institutrice.

Mais elle ne se met pas tout de suite à ce travail-là, non. Un oncle lui a laissé un petit pécule, elle s'installe à Worpswede et investit dans Mackensen dont les cours sont réputés. Elle peint les corps, apprend les visages et les mains. Remarque les malformations dues à la misère. N'en fait pas un motif sentimental. Elle peint ce qu'elle voit, elle peindra aussi les corps parisiens et le sien, plus tard. Elle aime les contrastes forts, elle surligne parfois de noir. Elle va devenir expressionniste, et ça ne va pas tellement leur plaire, aux délicats paysagistes de Worpswede.

Et ça ne va pas du tout plaire à la critique locale, lors de sa première exposition en 1899 au musée de Brême, avec Clara Westhoff (dont les sculptures sont mieux accueillies) et une autre élève de Mackensen, Marie Bock. Un certain Arthur Fitger a la *nausée* devant les tableaux. Il aimerait en parler en « langage pur », mais ne peut que penser à des mots « impurs » qu'il préfère ne pas écrire, « outragé » par cette exposition « terriblement regrettable », surtout comparée au « trésor du vrai art du peuple allemand ». Carl Vinnen, un artiste local reconnu, essaie, lui, de défendre le choix du musée qui aura au moins « chevaleresquement ouvert à ces pauvres dames de Worpswede ».

La pauvre dame, cette année-là, lit les pièces d'Ibsen et le *Journal* de Marie Bashkirtseff. Rêve de vivre comme elle à Paris. Peint sur modèles au village. Est invitée aux soirées des artistes, chez Otto Modersohn ou Heinrich Vogeler. Vogeler chante à la guitare des « chansons de nègre », on danse, et Paula sait que sa nouvelle robe de velours vert lui va à ravir et que certains ne la quittent pas des yeux, elle l'écrit dans son journal avant de s'endormir.

*

Je ne sais pas comment appeler ça. Je ne sais pas s'il faut dire *tomber amoureuse.*

Paula Becker glisse vers Otto Modersohn.

Elle a d'abord vu ses tableaux, dans une exposition à Brême en 1895. Elle en apprécie, sans plus, la « véracité ». Lorsqu'elle le voit pour la première fois, cela donne : « Quelque chose de grand, dans un costume marron, avec une barbe rousse. De la douceur et de la sympathie dans les yeux. Ses paysages font une impression profonde, profonde – un soleil d'automne, brûlant et mélancolique. J'aimerais mieux le connaître, ce Modersohn. » Elle a un peu de mal à se lier, à Worpswede. Il y a bien Vogeler, charmant peintre à peine plus âgé qu'elle, mais Fritz Overbeck, un autre peintre, lui bat froid. « Modersohn, en revanche, je le trouve très attirant. Il est agréable et d'un abord facile, et il a une sorte de musique dans sa nature que je peux accompagner sur mon petit violon. Sa peinture déjà suffirait à m'attirer vers lui. C'est un doux rêveur. » Son opinion lui importe. Et c'est souvent à son père qu'elle parle de cet homme qui a onze ans de plus qu'elle. Et aussi « dix-sept centimètres de plus, une grande force de sentiments, une barbe rousse pointue, et sérieux, presque mélancolique, avec une aptitude à la joie ». C'est le portrait de son père. Sur les photos aussi : la ressemblance, front, nez et barbe, est comme dessinée au calque.

C'est seulement dans une lettre à sa mère que Paula évoque l'épouse, Frau Modersohn, « une petite femme intuitive et sensible ». Et si les lettres de Paula à Otto sont par convenance adressées à Monsieur et Madame, au moment de partir à Paris, sur le prétexte de lui rendre un livre, elle lui écrit, à lui seul, son souhait très cher de le revoir.

*

Paula décide de dépenser la dotation de l'oncle Arthur en études à Paris. Son père est inquiet. Journal, 5 juillet 1900 : « Père m'a écrit aujourd'hui pour me dire que je devrais chercher un travail de gouvernante. Toute l'après-midi je suis restée étendue dans le sable et la bruyère à lire *Pan* de Knut Hamsun. »

1900. Le monde est jeune. Knut Hamsun écrit sur les oiseaux et les amours d'été, les brins d'herbe et les grandes forêts. Le génial auteur de *La Faim* n'est pas encore le nazi qui offrira à Goebbels la médaille de son prix Nobel. Et Nietzsche n'est pas encore récupéré par les affreux. On peut croire au règne du Dieu Pan, à la Nature et au moment présent.

1900. Tout se passe en 1900. Paula écrit à son frère Kurt qu'après des années de sommeil et de rêverie elle a éclos. Et que ce développement les a peut-être choqués, eux, la famille. Mais qu'il en sortira du bon. Qu'ils seront contents. Qu'il faut lui faire confiance.

Brême-Paris, dix-sept heures de train. Paula partage son compartiment de dame avec une demoiselle Claire, artiste de cabaret. Son collègue debout dans le couloir, « un jeune homme aux traits négroïdes », n'ose pas entrer à cause de Paula. Mais sous son « sévère regard allemand » ils n'ont pas arrêté de bavarder et de chanter.

Les clichés aident à décrire un monde compliqué. Les Français sont frivoles et *blasés*, sales et spirituels. Les Allemands, par contraste, sont honnêtes et sérieux, propres et lents. Paula s'est inscrite à l'Académie Colarossi, où ses camarades parisiennes osent donner du *joli* à Rodin, ce Dieu vivant. Alors que c'est *beau*! « Elles n'ont simplement rien de plus profond à dire. »

Camille Claudel fut élève à Colarossi, et Jeanne Hébuterne, l'amante de Modigliani, s'y inscrira aussi. Ici les étudiantes ont le droit de peindre des modèles nus[1]. Les modèles femmes posent entièrement nues, les hommes avec caleçon. « Malheureusement, écrit Paula à ses parents, ces modèles sont tous des "poseurs". Ils ont une demi-douzaine de positions et ils finissent toujours par les reprendre. » Paula peint un moustachu triomphant, sanglé dans un slip blanc, bras croisés, menton levé : même nu il a l'air parisien.

Elle prend aussi des cours d'anatomie à l'École des Beaux-Arts, qui vient, en 1900, d'entrouvrir ses portes aux filles[2]. Beaucoup d'étrangères y sont inscrites, Américaines, Espagnoles, Anglaises, Allemandes, Russes : elles ne trouvent rien d'équivalent dans leur pays. Mal-

1. L'académie Julian, où fut étudiante Marie Bashkirtseff, était mixte aussi, à la seule différence que les cours avec nus étaient séparés pour les filles et les garçons. Pour une raison que j'ignore, l'inscription à tous ces cours était deux fois plus chère pour les filles que pour les garçons.
2. Grâce à l'obstination de la sculptrice Hélène Bertaux et de la peintre Virginie Demont-Breton.

gré les maux de tête que lui causent les cadavres (fournis par l'École de Médecine), Paula juge ces cours très précieux. Elle comprend enfin ce qu'est un genou, écrit-elle à ses parents. Eux, qui acceptent son départ pour Paris, font preuve d'une grande ouverture d'esprit. En 1900, Kathleen Kennet, une étudiante anglaise, écrivait avec une certaine ironie : « Dire qu'une jeune fille de vingt ans était partie étudier les beaux-arts à Paris revenait à dire qu'elle était irrémédiablement perdue. » Paula trouve en tout cas que c'est « plus dur pour les femmes ». On attend d'elles de jolis tableaux séduisants, quand les hommes ont le droit de *faire voyou*. Et ce Paris si beau qui est si dépravé ! Affreux relents d'absinthe, crasse partout, et des visages comme des oignons. Son père la conjure de ne pas se promener le soir sur les Grands Boulevards, « car ce qu'on y voit n'est pas beau ».

Sa chambre est boulevard Raspail. Dimensions : un lit de long sur un lit et demi de large. Papier à fleurs aux murs. Une cheminée, une lampe à paraffine. Clara Westhoff est sa voisine, elle est venue étudier chez Rodin. Premier achat : un matelas. Deuxième achat : un balai. Tout briquer, tout nettoyer. Pour trente centimes une femme de ménage viendra tous les dimanches. Paula se bricole des meubles avec des chutes de bois qu'elle couvre de cretonne. Les fleurs ici sont incroyablement peu chères, bouquets de narcisses et de mimosa, huit roses pour cinquante centimes ! Elle trouve une *crémerie* où on mange pour un franc, mais ce n'est pas copieux. Elle maigrit. Une bouteille de vin rouge pour soixante centimes, c'est bon pour le fer. Ses parents lui en envoient aussi des pastilles.

Le Louvre. Holbein. Le Titien. Botticelli, sa grande fresque, les cinq jeunes femmes en robes fluides, qui lui ôtent un « énorme poids du cœur ». Et Fra Angelico. Être avec lui dans la compagnie des saints. Et dehors, voir la Seine, dans la brume bleue ou dorée. Les acrobates sur les quais. Les bouquinistes aux étals grands ouverts. Corot et Millet chez les galeristes. Sur la rive droite, chez le marchand Vollard, elle a quelque chose à montrer à Clara : des toiles sont empilées contre les murs, elle les tourne avec assurance. Il y a ici, dit-elle, une simplicité nouvelle : Cézanne.

Paula se promène beaucoup et partout. Les omnibus sont énormes et tirés en troïka. D'autres attelages sont en « tandem », chevaux à la queue leu leu, c'est si pittoresque qu'elle en fait des croquis. Mais le plus extravagant, ce sont les Parisiens. Des chapeaux inouïs, des couleurs jamais vues, et les artistes habillés comme des caricatures : costumes de velours, énormes cravates flottantes, capes et même toges, longues tignasses, et les femmes font des choses incroyables avec leurs cheveux. Et le Bal Bullier, les étudiants mêlés aux couturières et aux blanchisseuses, grands chapeaux, robes de soie et blouses ouvertes, et même des culottes de vélo bouffantes !

Février, c'est son anniversaire, elle le fête avec Clara et les étudiants de Colarossi. Cadeaux : une énorme orange, un bouquet de violettes, une jacinthe en bulbe dans un joli vase, et une demi-bouteille de champagne !

*

L'Exposition universelle va ouvrir, et le prix des chambres flambe. Pour un prix « presque équivalent », Paula déménage 9, rue Campagne-Première, dans un atelier plus grand et plus propre. La logique échappe un peu à son père, qui s'inquiète des frais, mais la conjure de n'économiser ni sur le poêle ni sur le beurre. Et surtout, de ne pas trop travailler : « Ça rend stupide. Les gens ne sont pas faits pour travailler tout le temps mais aussi pour goûter la vie, afin de rester frais et réceptifs. »

Au concours de l'Académie, c'est Paula qui gagne. Les quatre professeurs ont tous voté pour elle. Elle envoie à ses parents une carte postale où elle s'est dessinée, touchante et drôle : médaille au cou, pinceaux et palette en main, Seine et Notre-Dame au fond. « La vie est sérieuse, et pleine et belle. » Mais elle bute contre un obstacle dans sa peinture. Passe par des jours déprimés. Quatre mois qu'elle est là. Elle erre dans la ville, dans « l'immense personnalité de Paris ». Paris sort tout juste, déchirée, de l'affaire Dreyfus ; Paula n'en parle pas. Elle trouve très beau le Sacré-Cœur en construction, ne dit mot de la Commune. Elle voit Sarah Bernhardt, trouve *Cyrano de Bergerac* trop français, écoute une *Passion selon saint Matthieu.*

Et elle écrit longuement à Otto Modersohn. Elle lui raconte la joie de vivre ici au printemps, et ce goût du plaisir qu'ont les Français : « Nous, Allemands, nous mourrions d'une gueule de bois morale après pareille autocomplaisance. » Les Parisiens, selon elle, n'ont que le mot *amour* aux lèvres. Mais elle ne se laisse pas troubler. De toute façon, elle ne comprend pas. Qu'il est bon d'être allemand, d'être simple et meilleur ! En tout cas elle serait *extrêmement* heureuse de recevoir un mot de lui.

Liebes Fräulein Becker ! Otto souhaite tout le meilleur à la chère Mlle Becker, « corps et âme », pour l'artiste et pour la femme. Il lui raconte ses propres aménagements, son atelier trop plein de toiles. S'il y a des Turner au Louvre, peut-elle lui en décrire les couleurs ? Il ne les connaît que par photos.

« Aimez-vous Monet ? » Non, Otto Modersohn ne l'aime pas du tout. Il préfère de loin Puvis de Chavannes. Monet ne s'intéresse qu'à l'angle et à la variation de la lumière : cette peinture « montre en main » le laisse complètement froid, lui, Otto, qui reste de longues heures à peindre dans les marais. Certes il aime bien l'art français, mais ce qu'il préfère, c'est retourner inlassablement à son propre travail. « Car c'est un grand plaisir d'être allemand, de sentir allemand, de penser allemand. »

*

1900. L'Allemagne est immense. Ouest à Est, l'Empire est au cœur de l'Europe, des Alpes à la Baltique et des Vosges aux Sudètes. L'Alsace et la Lorraine sont allemandes, avec les actuelles Tchéquie, Slovaquie et Pologne. En 1893, Jules Ferry inscrit dans son testament son vœu d'être enterré « face à la ligne bleue des Vosges d'où monte jusqu'à mon cœur fidèle la plainte touchante des vaincus ».

Pourtant, à Paris, Paula est très bien accueillie. Ce sont les Anglais qui sont détestés. Le photojournalisme vient d'être inventé, et des images circulent des *camps de concentration*, le mot est neuf. Les Anglais y font crever de faim les Boers en Afrique du Sud. Y mourront 22 000 enfants boers – 22 000 enfants blancs. Dans la rue, à Paris, on insulte Paula qu'on prend pour une Anglaise. Alors la jeune Saxonne sort son allemand, « mais les gens croient encore que je fais semblant ».

La mort prématurée de Paula, en 1907, l'exempte des massacres à venir. Gauguin, Cézanne, le Douanier Rousseau, meurent en 1903, 1906, 1910. Mais eux avaient vécu, eux avaient mené loin leur œuvre.

Paula est une bulle entre les deux siècles. Elle peint, vite, comme un éclat.

*

Heinrich Vogeler écrit à Paula combien, sans elle, le village est démoralisant. Worpswede, morne plaine : selon lui, chaque artiste de la colonie vit excentrique dans son coin. « Les horizons se rétrécissent, chacun est assis sur son sofa à soi et protège anxieusement son petit ressenti étriqué. » Le couple Overbeck, replié sur ses secrets ; Hans am Ende qui boude et le salue d'un air lugubre, « et c'est mon voisin ! ». Et Modersohn, gentil mais complètement aveugle face à l'état de santé de sa femme. Hélène Modersohn tousse, elle est faible, son récent accouchement n'a rien arrangé.

Heinrich Vogeler est le fils d'un riche quincaillier de Brême. Il dépense son héritage à peindre dans le goût préraphaélite, et à aménager la Barkenhoff, une superbe maison Art nouveau à Worpswede. Il va devenir communiste, transformer la maison en orphelinat, peindre réalsocialiste, et épouser une anarchiste après que sa première épouse n'a pas supporté de vivre en communauté. Il combattra le nazisme, partira en URSS, ne pourra plus rentrer lors de la rupture du pacte germano-soviétique, et mourra au goulag, au Kazakhstan, en 1942, de famine et d'épuisement, par un de ces trajets violemment logiques à travers l'abattoir du XXe siècle.

*

La longue, très longue lettre que Paula écrit au couple Modersohn en mai 1900 est irrésistible. « Il faut que je parle, il le faut, c'est tout. » Qu'ils viennent immédiatement à Paris. Voir l'Exposition universelle. C'est « stupéfiant comme c'est bien ». Elle y est allée hier, et aujourd'hui encore, et elle ira demain. Toutes les merveilles. Toutes les nations. C'est pour vous, Otto, si sensible aux couleurs. Chère Madame Modersohn, je sais que vous êtes souffrante, toutes ces grippes de cet horrible hiver et tous ces rhumes, mais si vous n'êtes pas capable d'un tel voyage, envoyez votre mari. Bien sûr il dira non, il ne voudra pas partir sans vous, mais soyez ferme, ne lâchez rien. Une semaine suffira. Il vous reviendra plein d'impressions vives.

D'ailleurs elle a tout arrangé : le logement, le budget, un repas pour un franc. Et les artistes français ! Quel dommage qu'Otto ne soit pas exposé ici, car Paula a d'énormes espoirs pour

son avenir, « excusez-moi de vous dire ça si fron-
talement ». Et Montmartre ! Et le printemps en
fleurs ! Et la galerie de sculptures du Louvre ! Et
Rodin, ce titan ! Et les orchestres hongrois sous
les lanternes chinoises ! Et la tour Eiffel, et la
grande roue ! Vraiment Paris, ça c'est une ville.
Monsieur Modersohn, répondez-moi par retour
de courrier que vous venez !

« Oui, vous devez venir.
Votre Paula Becker.
Mais vite, avant qu'il ne fasse trop chaud. »

*

« Votre lettre, chère Mademoiselle Paula, a
déclenché une véritable tornade. »

Otto dit non. À cause des modernes. Il veut
rester à Worpswede pour ne pas s'exposer à leur
influence : « C'est finalement le charme de notre
vie ici dans cette calme campagne qu'aucun de
ces mouvements modernes ne peut nous faire
dévier de notre orbite. […] Non, je préfère rester ici, à creuser toujours plus en moi-même. »

Et puis : télégramme. Il vient.

« Cher Monsieur Modersohn,
Je suis tellement énormément contente que
vous veniez. *Quelle fête ce sera.* »

29

Elle doit filer se boucler les cheveux pour un bal costumé, elle adresse à chère Frau Modersohn son gracieux souvenir et lui promet un envoi de roses, vite. « Mais le mieux, le mieux de tout, ce sera votre visite. Vive Modersohn ! Hourra ! »

*

Le lundi 11 juin, Otto Modersohn arrive à Paris avec le couple Overbeck et Marie Bock.

Le jeudi 14 juin, Otto rentre précipitamment à Worpswede. Son épouse Hélène vient de mourir.

Paula décide de rentrer aussi. « Mes chers parents, voilà une bien triste fin à mon séjour parisien, et la période qui vient à Worpswede sera aussi triste et difficile. J'ai tant reçu de la compagnie de Modersohn ces derniers jours. »

II

Septembre 1900. Rainer Maria Rilke vient rendre visite à son ami Heinrich Vogeler, dans ce village calme, isolé et artistique de Worpswede. Il arrive de Russie, il est à mi-chemin d'un voyage en France qui le mènera aussi en Italie.

Rilke, c'est l'Europe. Il est né à Prague, il mourra en Suisse, il parle une dizaine de langues. Il a aimé Lou Andreas-Salomé qui lui fait connaître Nietzsche, Tolstoï et Freud. Le héros de son unique roman est danois (les merveilleux *Cahiers de Malte Laurids Brigge*). Et le mythe dit qu'il est mort d'une piqûre de rose offerte à une Égyptienne. (Dans les faits, Rilke mourra en 1926 d'une leucémie.)

L'arrivée de Rilke dans la colonie d'artistes est un événement ; non que le jeune poète soit alors très connu ; mais c'est une nouvelle tête dans le huis clos de la lande.

Une douzaine d'artistes vivent maintenant au village. Les fondateurs de la colonie, Otto

31

Modersohn, Fritz Mackensen et Hans am Ende, sont arrivés en 1889. Heinrich Vogeler les a suivis en 1895. Carl Vinnen, Fritz et Hermine Overbeck, Clara Westhoff et Marie Bock les ont rejoints. La plupart sont là parce qu'ils sont nés pas loin. Et parce que c'est joli. Et désert. Et parce que c'est plat, et qu'ils ont des idées sur le paysage, sur la façon de voir un paysage : finis les plans larges façon *veduta*, ils privilégient un point de vue, un coin, un arbre, une maison.

Ils sont là aussi parce que c'est *authentique*. Une paysannerie pauvre et pieuse dans un paysage peu modifié. Les marais, les forêts, le ciel, plus loin les dunes. La grande lumière pâle, le soleil du nord, la neige l'hiver, l'été les ciels d'orage. Les robes blanches des dames. Les hardes des voisins. La délicatesse dans le rustique, les visages roses, la blondeur, la porcelaine.

On peut reprocher à Rilke d'avoir passé Paula sous silence dans sa monographie sur les peintres de Worpswede[1]. On peut aussi se dire que Paula n'était pas de là à ce point.

À Worpswede, elle peint l'écorce noir et blanc des bouleaux, la tourbe des marais. À Paris, elle bataille avec la lumière grise, les hauts murs au-

1. Paula la lira en y trouvant « plus de Rilke que de Worpswede » (9 mars 1903).

dessus des marronniers. Sur le Mississippi, elle aurait peint les grandes mousses *filles de l'air*, qui font aux arbres des barbes vertes.

*

Été 2014. Canot sur la Hamme. C'est une petite rivière de Worpswede, courte mais très large. Vue sur Google Earth, c'est une scolopendre : des canaux font des milliers de pattes à ses rives. La Hamme se jette dans la Lesum qui se jette dans la Weser. « Se jeter » n'est pas le mot : l'eau est lente, la terre déborde. Ce n'est pas une rivière, c'est un marécage organisé par les paysans, canal par canal, forêt de pins par forêt de pins.

Au fond du canot, le sol est haut, la haie domine, le peuplier est immense. Le ciel est partout. Les arbres se jettent en l'air. La lande de Worpswede est un des seuls coins vides d'Allemagne. Plus à l'ouest, vers la mer du Nord, c'est déjà une Hollande, avec des champs d'éoliennes qui modernisent le lieu commun. Moulins et plat pays et beaucoup de monde, soudain. L'Allemagne s'arrête à la mer sur un paysage de polders.

Il n'y a qu'une heure et demie d'avion entre Brême et Paris, mais Rilke en 1900 met quatre heures à cheval pour 40 kilomètres, « en haute voiture jaune qui filait grand train sous la rumeur des arbres ».

*

Rainer Maria Rilke et Paula Becker ont vingt-quatre ans. La jeune femme qui ne veut pas être gouvernante rencontre le jeune homme qui ne veut pas être militaire. Elle arrive de Paris, il arrive de Russie. C'est la fin de l'été 1900. Ils sont au début du monde.

La peintre blonde, « souriant sous un grand chapeau florentin ».

Rilke vient d'apprendre que son ami Heinrich Vogeler a choisi d'épouser Martha, une très jeune et belle fille du cru, « simple et tendre ». « Le combat est fini », approuve-t-il en l'écoutant.

Pour Rilke, le combat commence. Lou Andreas-Salomé s'est éloignée. Il voit Paula et Clara pour la première fois. Il les prend pour des sœurs, la petite blonde et la grande brune, avec leur robe blanche et leur impatience à danser.

*

À Paula, le premier soir, Rilke parle des couleurs de la lande. De l'angoisse où ces couleurs le plongent. Des ciels de crépuscule. Des heures où il ne sait plus vivre.

Quand le ciel est d'orage à Worpswede, les couleurs se rassemblent dans les arbres. Les maisons rougeoient. L'eau des canaux brille comme si la lumière y naissait.

Rilke pense que les peintres savent vivre, toujours. L'angoisse, ils la peignent. Van Gogh à l'hôpital peint sa chambre d'hôpital. Le corps des peintres et des sculpteurs est actif. Leur travail est à ce mouvement. Lui, poète, ne sait que faire de ses mains. Il ne sait pas être vivant.

Clara les rejoint ce premier soir. Elle a rencontré la mort dans les marais. Une vieille femme, un fantôme. La nuit plate, les bouleaux, la lune, les bougies dans l'atelier sombre. Entre ce que Clara Westhoff raconte ce soir de septembre 1900 et ce que nous en lisons, il y a l'écriture de Rilke. Rilke écrit sa vie toutes les nuits à Lou Andreas-Salomé, dans une immense lettre-feuilleton publiée, posthume, sous le titre *Journaux de jeunesse.* Rilke y explore des contrées et des visions, des abîmes. Des jardins qui ne sont pas dans le temps. Des bateaux sur les canaux, aux équipages de spectres.

À l'époque romaine on enterrait les femmes adultères seins en avant dans la tourbe. On retrouve aujourd'hui leurs corps intacts dans les marais. Mille ans la bouche ouverte sur l'horreur de la tourbe, et la désintégration au contact de l'air, la poussière recueillie dans l'église, celle

dont Clara et Paula ont fait sonner les cloches
en l'honneur du crépuscule… écrit Rilke à Lou.

Rainer Maria Rilke hésite. Paula, Clara. Son
cœur balance. Son goût va au trio. Ça durera
toute sa vie.

Paula porte sa robe verte, celle qu'elle avait
étrennée dans l'atelier de Modersohn.

Les roses rouges ne furent jamais rouges
comme en ce soir environné de pluie.
J'ai rêvé longtemps de tes doux cheveux…
Les roses rouges ne furent jamais rouges.

Les buissons n'eurent jamais vert plus sombre
qu'en ce long soir de la saison des pluies.
j'ai rêvé longtemps de ta robe tendre…
Les buissons n'eurent jamais vert plus sombre[1].

Clara porte sa robe blanche, « une robe de
baptiste sans corset, de style Empire. Avec un
bustier noué lâchement sous les seins et de longs
plis verticaux. Autour de son beau et sombre
visage, ses cheveux noirs flottaient en boucles
légères qu'elle avait laissées retomber librement
le long de ses joues… ». Là, c'est le soir de la
deuxième rencontre. Rilke a promis de lire ses
poèmes à ses amis. On fait passer une lourde

1. Poème de Rilke dans les *Journaux de jeunesse*, septembre 1900, traduit par Philippe Jaccottet.

table par la fenêtre pour asseoir tout le monde. Paula nomme la scène : « la lutte avec la table », le poète note le mot. Mais c'est Clara ce soir qui est « vraiment notre reine à tous ». Il la voit « belle plus d'une fois [...] malgré le caractère parfois trop accentué de son visage ».

La troisième rencontre, il donne à Paula des souvenirs de son voyage en Russie, dont une photo de Spiridon Drochine, poète paysan et serf de Tolstoï. Un visage fort, comme elle aime à en peindre. Clara les rejoint à vélo. Ils ont dîné chez les Overbeck, c'était Paula la voisine de table de Rilke, c'est avec elle qu'il a parlé, beaucoup. Et écouté Otto, qui expliquait combien il est difficile de faire plaisir aux animaux. Dérobez à une araignée le sac d'œufs qu'elle trimballe partout : elle s'affole ; reposez le sac sur son chemin de toile : elle est immensément soulagée, et surprise, songeant : je ne suis pourtant jamais passée par ici ? « Je n'oublierai jamais la façon dont Modersohn a raconté cela, ces yeux écarquillés dans lesquels on pouvait presque lire les mouvements de l'animal, et le geste de ses mains pour montrer comment l'araignée remettait son sac sur son dos », écrit Rilke à Lou.

Et Paula, dans son journal ? Rilke y est « gentil et pâle [...], un talent lyrique raffiné, doux et sensible, avec de petites mains émouvantes ». Il discute avec le grand et gros Carl Hauptmann, un ami d'Otto qui philosophe comme on lutte.

Toasts-poèmes. On boit. « À la fin de la soirée, les deux hommes étaient incapables de se comprendre. » De la même soirée Rilke écrit n'avoir pas supporté « la bouffonnerie… l'affreux aboutissement de la convivialité allemande ».

Rilke est un homme qui n'aime pas les hommes, sauf Rodin à qui il laissera cette virilité : le sculpteur-statue, le totem. Rilke aime les femmes et la compagnie des femmes. Sinon – être seul. Mais en pensant à une ou deux femmes.

*

La nuit de l'équinoxe de l'automne 1900, Clara et Paula vont traire la chèvre du voisin. Nuit de magie. Elles rient et ondulent comme des fées. Les hommes, ivres, les attendent. Paula pose devant Rilke une coupe de grès. Le lait est noir.

Ce lait noir c'est, quarante-cinq ans et deux guerres plus tard, le plus connu des poèmes de Paul Celan, *Fugue de mort*, 1945 :

Lait noir de l'aube nous le buvons le soir
le buvons à midi et le matin nous le buvons la nuit
nous buvons et buvons
nous creusons dans le ciel une tombe où l'on n'est
  pas serré
[…]

Celan l'a écrit trois mois après la libération d'Auschwitz. C'est un poème qui se tient aux côtés des grands témoignages, ceux de Primo Levi, d'Élie Wiesel, de Charlotte Delbo. C'est un poème qui modifie celui ou celle qui le lit.

Les *Journaux de jeunesse* ont été publiés en Allemagne en 1942, bien après la mort de Rilke. Son Allemagne est un pays de jeunes filles et de roses, de fantastique et de métamorphose. Rilke est l'héritier de Hoffmann, il est aussi traducteur de contes russes, lecteur de Gogol, voyageant entre les imaginaires et les langues, avec pour horizon Lou Andreas-Salomé : celle que la sœur de Nietzsche, adhérente dès juillet 1933 de l'Association des écrivains nazis, accusera d'être une « juive finnoise[1] ». 1942, c'est l'année du triomphe pour le Troisième Reich, l'année de la plus grande expansion territoriale. Que cherchait l'éditeur, Insel ? À faire entendre d'autres voix que le chœur nazi ? Ou à conforter les lecteurs dans la vision d'une Allemagne éternelle, saine, fraîche, hétérosexuelle, toutes de forêts, de vierges et de roseraies ?

tes cheveux d'or Margarete
tes cheveux cendre Sulamith
[…][2]

---

1. Lou était d'origine russe et huguenote.
2. Rilke écrivait, à la mort d'une amie de Clara : « De toute

39

Entre Celan et Rilke se tend un méridien. Les méridiens tracent des lignes sur la planète. Du point Rilke au point Celan, ils tendent un pont sur l'Allemagne. Ils traduisent l'allemand dans un autre allemand. Ils portent la langue allemande vers un ailleurs où ils la sauvent. Rilke, né en Tchécoslovaquie, à Prague en Bohême, en 1875 ; Celan, né en Roumanie, à Czernowitz en Bucovine, en 1920. Entre Rilke et Celan, il y a *ce qui arriva*. C'est ainsi que Celan nomme la destruction des Juifs d'Europe. De l'un à l'autre, la mort a changé en Allemagne.

*

Paula, vue par Rilke dans son atelier : « Toute beauté et minceur, fleurissait le nouveau lys […]. Il a fallu un long chemin, dont nul ne pouvait voir le bout, pour que nous arrivions à cet instant d'éternité. Nous nous sommes regardés, avec un frisson de stupeur, comme deux êtres qui se trouveraient soudain devant une porte derrière laquelle il y aurait Dieu, déjà… Je me suis sauvé en courant dans la lande. »

À se sauver, Rilke tombe sur Clara. « La sveltesse de Clara, tel un vert roseau lumineux […] si ineffablement pure et grande que chacun de

_____

éternité Marguerite, il te fut donné de mourir très tôt, de mourir blonde… »

nous, en s'isolant, fut saisi par cette vision et s'y abîma tout entier. »

Rencontrer une femme, c'est pour Rilke un voyage dans l'étrange. Il décolle, comme un aéroplane. Il est pris par quelque chose de plus grand que lui – le ciel, la beauté. Il chute vers le haut.

Paula, Clara, Rainer Maria. La valse inscrit ses cercles de fées sur la lande. Au contact du sol à nouveau, Rilke se sent *pieux*. *Fromm* : c'est un mot qui revient très souvent sous sa plume et celle de Paula. Un mot qui marque une époque, 1900, leur grande jeunesse. *Fromm* vole à Worpswede avec le vent, par Paula de Brême, par Rilke de Prague. La piété, ils l'évadent de sa cage religieuse, ils la rendent à l'enfance et au sacré. La piété leur donne à voir l'invisible.

Les rencontres nous signent. Nous devenons des livres d'or. Nous apprenons à parler des mots donnés par nos aimés. Quand Rilke revoit Paula, « sa voix avait des plis comme la soie ».

*

Paula à Rilke, se dressant contre l'esthétique de la mort qui infuse la culture de leur temps : « Vous me permettez ce point de vue, n'est-ce pas ? En fait, je vous demande de tout me permettre. »

*

Je l'appelle Paula et lui je l'appelle Rilke.
L'appeler Rainer Maria, je n'y arrive pas. Mais
elle surtout, comment l'appeler ? Modersohn-
Becker, de son nom de future épouse, du nom
des catalogues consacrés à son œuvre ? Becker-
Modersohn, comme à son musée de Brême ?
Becker, de son nom de jeune fille, de son nom
de *vierge* qui est le nom de son père ?

« Le simple et honnête nom de Becker » est
un nom banal en Allemagne. Paula Becker est
le nom d'une fille dont le père s'appelait Becker
et qu'on a prénommée Paula.

Les femmes n'ont pas de nom. Elles ont un
prénom. Leur nom est un prêt transitoire, un
signe instable, leur éphémère. Elles trouvent
d'autres repères. Leur affirmation au monde,
leur « être là », leur création, leur signature,
en sont déterminés. Elles s'inventent dans un
monde d'hommes, par effraction.

*

Clara et les cygnes. Longues conversations
sur le théâtre[1]. Évocation de l'enfance de Clara.
Projet de Rilke : rester à Worpswede pour faire,

1. Qui donneront les *Notes sur la mélodie des choses*.

comme elle, l'expérience des saisons. Paula aux cheveux couleur de ciel, couleur ambre jaune du soir. Clara à vélo, haletante. « Je lui fis signe longtemps. »

Voyez Rilke, tige surgie du bouquet, saluant debout dans une calèche en velours écarlate remplie de « tournesols énormes, de dahlias rouges à l'ourlet transparent, de giroflées ». Voyez ces enchanteurs tresser le monde de fleurs et de guirlandes. La veille, Clara l'a couronné de bruyère. Il serre la couronne dans ses mains. « En face de moi était assise la peintre blonde sous un merveilleux chapeau de Paris. » Et sous le chapeau, les yeux sont pareils à des roses gonflées. Spirales d'une jeune fille à l'autre, roses rouges et lys blanc, pétales en corolle sur les cœurs charnus. *Cet automne-là, nous ne manquâmes jamais de roses…*

Rilke à Paula : « Vous êtes bonne et sainte… vous êtes bonne et sainte… Quand je vous l'aurai dit une troisième fois, ce sera irrévocable. »

Octobre. Séjour à Hambourg de toute la colonie. Théâtre. Musées. Promenades et conversations. Novembre. Envoi de poèmes à Paula, deux dimanches ; à Clara, un dimanche. Clara lui fait porter une corbeille de raisins. Paula lui fait porter des rameaux de châtaignier, sur lesquels il prie comme un catholique sur son chapelet, une prière par châtaigne : « J'imite cette pieuse règle en ayant une pensée tendre pour vous, et une pour Clara Westhoff. »

*

Rilke a une idée précise de ce que doit être une jeune fille. Et elle doit être, non seulement bonne et sainte et belle et pure, mais blonde et brune à la fois.

Ce qui est beau, pur, saint, et bon, c'est d'avoir les deux jeunes filles. Leur innocence à deux tiges et la fleur de leur peau. Rilke s'invente une caresse. Il pose une rose sur ses yeux et laisse la fraîcheur doucement tiédir ses paupières.

Entre les trois amis circule un beau roman danois aujourd'hui oublié, *Niels Lyhne* de Jens Peter Jacobsen. Niels Lyhne court après la pureté. Il sait qu'il rêve. Le désir féminin est réel, et le réel le rend malade. Le roman raconte un jeune couple détruit par le dégoût du sexe, dans une ferme au fond d'un fjord.

Écoutez la jeune épousée : « La pureté de la femme, c'est encore une de ces bêtises délicates ! Qu'est-ce que cette idée contre nature ?… Qu'est-ce que ces insanités ? Et pourquoi nous élevez-vous d'une main jusqu'aux étoiles pour nous attirer de l'autre sur la terre ? Ne pouvez-vous nous laisser cheminer sur cette terre, côte à côte avec l'homme ? Il nous devient impossible

44

de nous mouvoir avec sûreté au milieu de toute cette prose... Laissez-nous donc tranquilles, pour l'amour de Dieu, laissez-nous tranquilles ! »

*

Il y a les rencontres, les péripéties, les amours. Et il y a ce que Paula construit pendant ces années : une solitude. Un lieu à soi, tôt matérialisé par son atelier à la sortie du village, à Brünjes.

« Mackensen dit que la force est la chose la plus importante. Que la force est au début de tout. [...] Je suis d'accord, mais je sais aussi qu'elle ne sera pas au centre de mon art. Je sens en moi une trame douce, vibrante, un battement d'ailes tremblant au repos, retenant son souffle. Quand je serai vraiment capable de peindre, je peindrai ça. »

Paula peint des modèles de la campagne environnante. Elle ne donne pas de titres. « Femme assise », « vieille paysanne », « fillette debout » : le premier catalogue raisonné fut établi après sa mort par Vogeler. Mais elle décrit dans son journal « Frau Meyer aux énormes seins blancs luisant comme ceux de la Vénus de Milo, sexuelle jusqu'au bout des doigts », et qui a fait de la prison tant elle a maltraité son enfant ; « ma blonde », une autre jeune mère qu'elle pourrait peindre « cent fois » ; Anna Böttcher, et Frau

Renkens, et la Grosse Lisa « qu'on croirait sortie d'un Rubens ». Des nus d'enfants, surtout des petites filles : Meta Fijol à qui elle glisse un mark pour qu'elle se déshabille, en se détestant. Les genoux cagneux, les ventres gonflés, les oreilles sales des modèles de l'orphelinat et de l'asile de vieillards. La vieille Olheit, le vieux Jan Köster, le vieux von Bredow qui cite Schiller pendant la pose, et la mère Schröder, et la vieille Frau Schmidt qui lui raconte qu'elle a perdu ses cinq enfants et ses trois cochons. Et qui lui montre le cerisier planté par sa fille morte à huit ans, en citant un vieux proverbe allemand : « Quand l'arbre a poussé, le planteur a passé[1]. »

Ces gens sur les tableaux : ils ont été là. Des vies qui se traversent, se croisent. Ce qu'elle leur a donné, ce qu'ils lui ont donné. Le temps d'une pose – c'est long. « Mon cul est devenu aveugle », lui dit un de ses vieux modèles. Des visages, des corps, apparus sur fond de lande puis enfouis dans la tourbe de Worpswede.

*

Quand Paula écrit à Rilke, elle n'évoque ni gros seins ni cul aveugle, mais leurs « merveilleuses soirées sous la lune ». Elle termine par « je pense souvent à vous ». Elle lui prend mentalement la main et signe « votre Paula Becker ».

1. « Wenn de Bom ist hoch, is de Planter dot. »

Ils se vouvoieront, toujours. Il aime son atelier aux lys, dont elle a peint les murs en outremer et en turquoise séparés par une bande rouge. « Le soir est toujours grand quand je sors de cette maison. »

Et comme il part à Berlin, elle lui demande de rendre visite à sa cousine Maidli. Quand elle était enfant, à Dresde, la sœur de Maidli, Cora, est morte ensevelie dans la carrière de sable où elles jouaient. « Au moment de sa mort Maidli et moi cachâmes nos visages dans le sable pour ne pas voir la chose horrible que nous sentions qui arrivait. » Cora avait onze ans. Elle avait vécu à Java. Elle avait donné à Paula sa « première lueur de conscience ».

Pourquoi raconte-t-on son grand secret, et à qui ? Au début d'une histoire d'amour. Quand on est Paula Becker et qu'on écrit à Rainer Maria Rilke, on scelle aussi un pacte d'art et de chagrin.

*

Certes, elle lui parle aussi d'Otto Modersohn. Un homme dont elle admire les tableaux et dont l'âme est « profonde et belle ». Un homme bénédiction. Un homme qu'elle a « envie de protéger dans ses mains ». Un homme à qui elle a « envie de faire du bien ».

Si Rilke ne comprend pas, c'est qu'il ne veut pas comprendre.

Paula a déjà arrangé les détails du mariage. Ce sera très modeste, écrit-elle à son père : « Vous savez combien Otto et moi sommes raisonnables. » Le 12 septembre, pour leurs fiançailles chez Heinrich Vogeler, ils ont « simplement ouvert une bouteille de vin rouge ». Heinrich s'est montré charmant mais, raconte-t-elle à son père, étrangement embarrassé : il avait peur, selon elle, que cette cérémonie ne soit toute une histoire.

« La grande simplicité d'Otto et sa grande profondeur me rendent *pieuse* », écrit-elle à sa tante Marie. C'est le mot partagé avec Rilke qui rebondit en chatoyant. « Je suis une personne si compliquée, toujours si tremblante et intense, que ses mains si calmes me feront le plus grand bien. »

*

Le 10 novembre, Rilke écrit à Paula sa magnifique *Bénédiction de la mariée*. Paula vient enfin de lui dire qu'elle est fiancée à Otto.

Décembre. Le jeune poète plonge dans ce qu'il nomme « l'humiliation ». Après tout un automne consacré à deux jeunes filles, il est allé voir, logiquement, des filles. Alcool. « Feu impur ». « Heures maltraitées ». Les « mains poisseuses sur ce que par respect on n'avait jamais osé toucher ».

Lou lui rend visite. Ça va un peu mieux. Théâtre avec Lou. Il songe à nouveau que la vie est grande. Et il lui écrit un poème programmatique, une prière toute de travail et de frugalité. « Il fallait que je note cela, pour mémoire. Dieu me vienne en aide. »

Et il épouse Clara. Sur une impulsion. Sur un saut. Pour la vie rêvée des anges. Pour la cabane sur la lande. « Un anneau d'or, et les matins sont éclairés par le soleil. »

*

1901 est l'année des mariages. Paula et Otto, Clara et Rainer Maria, Heinrich Vogeler et Martha.

Quand on superpose les journaux – Rilke, Otto, Paula, Clara – ça fait des trous. Les uns ne parlent pas de ce dont parlent les autres. Ou pas pareil, et d'une façon qui crée encore des trous. Et ces journaux eux-mêmes sont troués. Les pages publiées, je ne sais pas si leurs brèches temporelles sont la marque de feuillets perdus, ou omis, ou non écrits. Le plein qui m'apparaît est évasif.

Ce sont des mots des morts quand ils essayaient d'accorder vie et mots. Seul Rilke recouvre le temps de presque autant de mots que de secondes[1]. La nuit, après les événements du jour, il bascule dans un monde fantastique, autofictif, avec les princesses et les revenants, les momies de la lande et le lait noir.

Et par toutes ces brèches j'écris à mon tour cette histoire, qui n'est pas la vie vécue de Paula M. Becker mais ce que j'en perçois, un siècle après, une trace.

*

Tout l'automne 1900 précédant le mariage, Paula Becker et le bouillant Otto s'écrivent des lettres d'amour. Mais elle veut rester encore un peu sa « petite Madone ». Elle demande à son « roi roux » de se concentrer sur l'art : « Que votre iconoclasme à sang chaud dorme encore un tout petit peu... Nous peindrons toute la semaine, d'accord ? » Elle promet de le rejoindre samedi, en enfants sages. « Dormez bien, et mangez de bon cœur. Vous voulez bien ? oh, vous ! » Car ils doivent cueillir les mille fleurs de leur jardin d'amour avant de cueillir, au juste moment, la merveilleuse et profonde rose rouge...

1. Sa correspondance complète est encore inédite en France, par abondance. Rilke avait du mal à écrire, alors il écrivait des lettres.

Non, à Worpswede cet automne-là on ne manqua pas de roses. Paula déverse dans son journal des flots de littérature à leur eau. Elle a lu Maeterlinck et Rilke mais ils n'agissent pas sur ses mots comme Cézanne et Gauguin le feront sur sa peinture. Elle si juste et drôle dans ses lettres, la voilà qui entre au pays du désir où le soleil sur son trône au firmament enlace ses cheveux d'or à ses yeux d'argent et brandit son épée en criant gloire et honneur et création… Ce symbolisme tout de cygnes et de princesses l'englue et la coule comme une mouette mazoutée.

*

Les fiançailles ont lieu quatre mois seulement après la mort d'Hélène. L'embarras de Vogeler, il est là : dans la chronologie.

Il faut une version officielle et Paula la fournit dans les lettres à sa famille. On y entend les dates grincer sur leurs gonds. En novembre, à son oncle Arthur (le généreux pourvoyeur de fonds) : « Nous nous marierons l'an prochain. Après la mort de sa femme au printemps dernier, il se languissait pour la vie et pour l'amour. C'est alors que tout d'un coup, nous nous sommes trouvés. »

Ici, une pensée pour Hélène Modersohn, Frau Otto Modersohn 1re, morte à trente-deux ans de la tuberculose, et dont il reste quelques traces dans des lettres d'artistes au tournant du XXᵉ siècle. Je ne connais d'elle qu'une seule photo, aux côtés d'Otto. Des yeux clairs, un chignon bouclé, un charme long et maigre. Je ne connais pas son nom de jeune fille.

*

Worpswede, été 2014. Il y a un tel battement de nuages et de soleil que la terre est troublée comme un lac. Le paysage est rayé de canaux, de reflets. J'essaie de voir ce qu'a vu Paula. Les bouleaux penchés, les troncs noir et blanc sur le canal bleu vif, le ciel plongé dans l'eau comme un couteau. Les maisons rouges, éparses. Les vaches. Le vide des champs. Les foins ont été faits, l'été s'achève ici au milieu de l'été.

Les nuits sans lune il fait très noir. On ne voit pas sa main devant soi. Mais une lueur phosphorescente monte du sable. De grandes bulles d'air chaud demeurent sous les arbres. On y entre comme dans du beurre, ça sent les herbes et l'été. On ressort sous les étoiles, il fait froid d'un coup, deux saisons coupées net.

On pourrait dire que rien n'a changé. Mais entre l'Allemagne de Paula et cette Allemagne, il y a la première guerre et 1933 et la deuxième guerre et *ce qui arriva*. Et l'Allemagne a été coupée en deux, puis réunifiée. Les forêts n'en sont plus les mêmes.

Sebald, *Les Émigrants* : « Quand je pense à l'Allemagne, elle se présente à mon esprit comme quelque chose de démentiel. [...] L'Allemagne, il faut que vous le sachiez, m'apparaît comme un pays resté en arrière, détruit, en quelque sorte extraterritorial, peuplé de gens dont les visages sont à la fois merveilleux et mal cuits, ce qui est effrayant. Tous portent [...] des couvre-chefs qui ne siéent absolument pas à leur tenue – bonnets d'aviateur, casquettes à visière, gibus, protège-oreilles, bandeaux croisés sur le front et bonnets de laine tricotés main. »

Paula, ses trognes et ses nombreux chapeaux : jusqu'à elle, tout allait bien en Allemagne. Oui, en 1900, pour Heinrich, Martha, Fritz, Otto et les autres, en Allemagne tout va bien. Paula est née et morte dans une Allemagne innocente. Un pays « grand, simple et noble », comme l'écrit Rilke au couple Modersohn pour ses vœux.

*

Les parents de Paula posent une condition au mariage : que leur fille prenne des cours de cuisine. Il ne sera pas dit que Fräulein Becker s'installe en ménage sans savoir nourrir son mari.

Elle accepte, et Otto aussi. Tout le monde accepte. Personne ne trouve à redire à cet arrangement : Paula Becker laisse ses pinceaux et s'installe deux mois à Berlin chez une tante pour suivre des cours dans une école de cuisine.

À Berlin en 1901 l'art culinaire commence par la patate : pelée, pas pelée, bouillie, rôtie, en chemise, en purée, en bouillon, en salades. Puis le ragoût de bœuf, le pain de viande, la fricassée de veau. Une séance sur la carotte. Les desserts. Paula met la même ironie légère à ces comptes rendus à Otto qu'à la description de la société autour d'elle : elle décrit avec fatalisme des gens « qui se tiennent parfaitement à leur rôle social ». Son quartier chic, Schöneberg, lui fait regretter le Quartier latin ; elle se voit comme une fleur sauvage parmi des fleurs de serre, mais ne se reconnaît pas dans celles qui ne portent pas de corset : non qu'elle goûte particulièrement cet attirail, mais il faut, dit-elle, « quand on n'en porte pas, que ça ne se voie pas ». Et « toute cette poudre, toute cette vanité » : la simplicité du village lui manque. Ici, il n'y a que des murs. Elle veut les bouleaux, les églantiers, et peindre. Elle ne supportera pas au-delà de huit semaines ce *siècle culinaire*, malgré les musées avec sa cousine Maidli.

Malgré, aussi, la compagnie de Rilke, qui est à Berlin au même moment. De son côté, Otto et Clara se voient souvent au village. Une bande des quatre que chacun pense appelée à durer.

Rilke a envoyé à Paula des instructions très précises pour leur premier rendez-vous, avec croquis du plan des rues. Le tramway passe toutes les vingt minutes. Il la taquine : « Comment va la cuisine ? » Elle vient à peine de partir qu'il lui récrit. Il est minuit sous la lampe verte, il ne touche à rien pour garder sa présence. Il regarde les objets familiers, le samovar, le tapis turc, la couverture des Abruzzes, et le tissu précieux, vert et doré, aux armoiries de sa famille. D'elle il reste un fruit, qu'elle a ouvert de ses mains d'un geste si beau ; au creux du fruit, il reste une bouchée. Il la mange. Il y « rafraîchit sa voix ».

« Quand nous revoyons-nous ? Tous les dimanches ? »

Ils se revoient tous les dimanches. Elle lui a envoyé « une petite chose, qu'elle lui prête ». Qu'il ne s'effraie pas de l'énormité de l'enveloppe : c'est son album de dessins et d'esquisses. Rilke ne doit commencer à le lire « qu'à la fleur jaune », parce qu'avant, ce n'est *pas du tout elle*. En revanche, après, par moments c'est *trop elle*. Elle s'inquiète de ce que les gens appellent sa froideur, mais *lui*, n'est-ce pas, il la comprend ? Il y verra comment, en 1898, la joie et la mélancolie luttaient en elle. Elle avait vingt-deux ans en Norvège et soufflait des pissenlits au bord de la Namsen. Elle comparait les bouleaux, leur tronc fort et droit, à des femmes modernes, masculines et puissantes. Elle craignait d'avoir perdu ses vingt premières années. Puis elle voyait Heinrich Vogeler tomber amoureux de Martha, mais trouvait leur relation trop tendre, trop rêveuse pour jamais supporter le mariage…

Rilke répond à cet envoi par une lettre magnifique. Ce gros album est un trésor sous l'écorce des mots. C'est un collier de perles cassé, il les recueille, une perle a roulé et cette perle perdue illumine sa chambre. Non, elle n'a pas perdu ses vingt premières années, cette chère et sérieuse amie. Elle n'a rien perdu qu'elle aurait pu regretter : elle ne s'est pas laissé troubler. Elle le sentira dans son art. « Ça a été, c'est, ce sera, et ça pénètre en nous, dans notre solitude et dans nos heures calmes. »

Rilke parle à Paula de son art comme très peu de gens autour d'elle lui en parlent. Comme personne, sans doute. Il loue son assurance et sa force. « Et vers vous je suis venu, la femme artiste », *die Künstlerin.* Ces dessins qu'elle lui a montrés, c'est la lumière et la vie qu'il y a en elle. Et il aurait dû insister pour qu'elle lui montre mieux sa peinture. Un canal avec un pont et le ciel : ce tableau était derrière elle quand elle lui parlait dans l'atelier. Mais il voulait « voir ses mots » et il ne la quittait pas des yeux, et maintenant le tableau lui manque, il s'en souvient mal. Heureusement, il se souvient d'un autre, « la ronde des jeunes filles autour du gros arbre ». Les couleurs, le mouvement déjà parfaitement achevé, une figure penchée, mains autour de l'arbre tranquille. « Il est réconfortant que mes yeux, consciemment et inconsciemment, se soient remplis de cette image, pendant que vous prépariez le thé. »

Nul projet de mariage d'un côté ou de l'autre. À lire leurs lettres, ces deux-là sont seuls au monde. Ces dimanches bénis, et si chastes, et si intenses. *Fromm...*

Et puis un jour, dans une lettre de Rilke, surgit le nom de Clara. Quand Paula viendra, le prochain dimanche, la *belle Clara* sera *peut-être* là. « Vous m'offrirez les mêmes heures, n'est-ce pas, peut-être même une heure de plus ? »

*

Otto, de son côté, parce qu'elle lui a caché des croquis qu'il trouve formidables, lui promet une punition « qu'il laisse à son imagination ». Le ton d'Otto n'est pas *fromm*. Il se plaint que Paula ne lui parle jamais d'amour, toujours de peinture. Ses brûlantes lettres sont postées avec un luxe de précaution : l'ami Vogeler rédige les enveloppes. Pour les cartes postales ouvertes, les fiancés se vouvoient et se donnent du « M. Modersohn » et des « salutations chaleureuses ». Paula trouve un peu ridicules ces complications, et craint que sa tante ne s'étonne des nombreux envois de Vogeler. Mais pour l'amour, elle essaie. Elle évoque un enfant, parle de l'*Annonciation* dont

Rilke lui fait lecture. Elle dit joindre ses mains en silence, elle voudrait que sa respiration lui porte, à lui Otto, tout ce qu'elle ne sait pas lui écrire. Elle tente parfois un « baiser brûlant ». « Les voilà, mes lettres d'amour. » Elle dit que c'est sa virginité qui la retient. Elle dit qu'elle veut la porter en elle, calmement, avec dévotion, jusqu'à ce que les « derniers voiles soient levés ». Elle dit qu'elle achète des chemises de nuit « très Circé ». Un soir, elle lui dit qu'elle lui écrit nue sous sa robe de chambre, et qu'elle a froid à son petit ventre.

Et puis, qu'elle est très fatiguée. Qu'il laisse sa petite fiancée à son hibernation. Qu'il attende le printemps. Qu'elle ne veut plus en parler.

Et qu'il lui envoie une photo d'Elsbeth, la fille qu'il a eue avec Hélène. Et aussi, cinquante marks pour une petite robe berlinoise ; mais s'il ne peut pas, oh, elle ne sera pas triste.

Cinquante ans plus tard, Lacan dira qu'entre les hommes et les femmes, il n'y a pas de rapport sexuel. Très exactement (la première fois qu'il l'énonce) : qu'il n'y a pas de rapport sexuel *qui puisse s'écrire.*

La petite robe, c'est sa robe de mariée.

*

Le père de Paula lui écrit de solennelles recommandations : mariée, elle devra se soumettre à la volonté de son époux, et apprendre à s'oublier ; car c'est à l'épouse de maintenir l'harmonie du couple. Elle devra abandonner tout égoïsme, car égoïste elle l'est, par exemple de vouloir qu'Otto déménage dans une vieille ferme qu'elle veut remplir de vieilleries, alors qu'il a une maison moderne parfaitement confortable, et qu'elle ne s'est entichée de cette idée que pour imiter Vogeler.

Woldemar Becker est un homme aimant, et bougon, et mélancolique. Il est aussi, à ce moment-là, très malade. Il veut doter sa fille de mille marks, une somme importante pour ce retraité des chemins de fer. Paula essaie de réduire la dot à deux cents marks. Et demande à Otto de rendre visite au malade. C'est beaucoup demander, elle le sait, car cela sacrifiera une journée entière de peinture. Mais qu'il se rappelle qu'elle, elle sacrifie huit semaines à la cuisine.

Sa famille, sa mère surtout, voudrait qu'elle prolonge sa saison culinaire. « Mère, j'ai bien utilisé mon temps. Mais il est bon de nous libérer des situations qui nous prennent de l'air. » Son âme « meurt de faim ». Elle veut *la grandeur et la beauté*, et pense les trouver dans le mariage avec Otto. Comme Rilke à la veille de son propre mariage, elle oppose la vie des villes, agitée et conventionnelle, à la sainteté du travail et du foyer. Avec candeur, elle dit à Otto combien elle aspire à retrouver son petit lit.

*

En mai 1901, pour leur voyage de noces, Otto et Paula font un tour de l'Allemagne. Berlin. Dresde. Un saut à Prague. Une excursion dans les Sudètes, chez leur ami Carl Hauptmann. Ils trouvent Schreiberhau trop touristique (aujourd'hui Szklarska Poręba, populaire station de ski polonaise). Ils grimpent au Schneegruben-baude dans les monts des Géants (aujourd'hui Śnieżne Kotły à la frontière tchéco-polonaise). L'Elbe prend sa source ici. C'est l'Allemagne d'avant le traité de Versailles, la très grande Allemagne impériale.

Mais les montagnes ne leur disent rien, à eux gens de la lande. Ils filent vers Munich, et pour finir, Dachau. Dachau sonne aujourd'hui comme une curieuse destination de lune de miel. Mais la ville était alors connue pour sa colonie d'artistes, une des plus importantes après Worpswede.

Otto est un peintre à succès. Il vient de vendre une toile, *La Femme de la forêt*, pour deux mille marks. Paula a joyeusement annoncé la nouvelle à ses parents par une carte postale ornée d'une frise de sacs d'or. Otto envoie lui aussi des cartes de leur voyage de noces : il y dessine

Paula en habit de voyage, très élégante devant un Berlin tout de coupoles et d'églises ; et Paula en chemise de nuit chassant les puces dans leur chambre à Prague.

Les lettres que Paula écrit à ses parents sont gaies, malgré des métaphores un peu curieuses : des « vagues risquent de les engloutir », et un « collier de fer » se resserre autour d'eux avec ce voyage circulaire. Elle a besoin de marcher seule pour « lisser quelques plis dans sa tête ». Elle est fatiguée et n'aspire qu'à se remettre au travail.

Pas un mot, évidemment, sur la première nuit, et la deuxième, ou la troisième. Sur l'effet, autre que sur les puces, des chemises de nuit circéennes. Clara et Paula, ces vierges supposées, avaient une bien meilleure connaissance de l'anatomie que la plupart des jeunes Allemandes bourgeoises de 1900. Et elles avaient peint la misère des mères de Worpswede, leurs corps déformés et endoloris.

Quand son père meurt en décembre, Paula est mariée depuis huit mois. Martha Vogeler et Clara Rilke sont enceintes, mais elle écrit dans son journal qu'elle n'est pas encore prête pour ça. Et il y a Elsbeth, la fille d'Otto, quatre ans, et un bel amour naissant entre elles deux.

Il semble que le mariage de l'ardent roi rouge et de la petite Madone n'ait été consommé

qu'avec difficulté. Des passages de leur correspondance laissent penser que le brave Otto
attend, comme une locomotive à vapeur, la
« chose la plus précieuse », « le sommet de notre
amour », cette « félicité voilée et parfumée » que
Paula enrubanne d'images fleuries, soyeuses et
ailées. Mais si ces métaphores parlaient d'un
bébé ? Et si c'était Otto, qui avait été « incapable
d'accomplir l'acte sexuel » ? C'est ce que Clara
s'empressera d'écrire à Rilke après des confi-
dences de Paula, cinq ans plus tard, en 1906.

Consommé ou pas, tous ces gens sont morts.
Quand j'entends consommé, je pense à du
potage, et à des yeux qui flottent sur du bouillon. Je préfère contempler les tableaux de Paula.

Des corps disparus. Des corps en poussière.
Le vif de leur désir, le vrai de leur ardeur : pul-
vérisés.

III

« Chère Clara Westhoff, ne te sens-tu jamais portée vers mon petit atelier des Brünjes ? Bien des choses t'y attendent, parmi lesquelles une jeune épouse. Mais l'attente devient très longue et triste pour elle. Je suis ta Paula Becker. »

Il y a eu un premier signe de froid, à Berlin, pendant le siècle de cuisine. Quand elle a trouvé Clara chez Rilke lors de sa visite dominicale, et qu'elle est repartie, et que Clara restait. C'est sûrement ce jour-là qu'elle a appris, ou compris, leurs fiançailles.

Automne 1901, Clara Westhoff est très enceinte et les lettres de Paula restent sans réponse. Journal : « Clara Westhoff a un mari désormais. Il semble que je ne fasse plus partie de sa vie. Il faut qu'en premier lieu, je m'y habitue. Je me languis, parce que c'était beau avec elle. »

Soudain, dans une lettre furieuse, Paula accuse Clara d'avoir le cœur étroit, et d'abandonner l'amitié pour l'amour dans un mariage où elle délaisse son moi pour « l'étaler comme une serpillière sur laquelle son roi peut marcher ». Elle prie pour que son amie « revête à nouveau sa cape d'or ». Et elle lâche ses « chiens de chasse » sur Rilke. Elle l'interpelle, lui et le joli sceau coloré avec lequel il signe élégamment ses lettres. Elle dit qu'elle a toutes les intentions de le poursuivre, de le traquer. Qu'elle a un cœur fidèle, un simple cœur allemand, et qu'il n'a aucun droit de le piétiner. Elle l'accuse d'avoir contraint son âme avec des chaînes d'or, elle dont le cœur « déborde d'amour comme la *Neuvième Symphonie* ». Elle accuse Rilke d'aimer les énigmes, et de les blesser avec son peu de clarté : « Nous sommes, mon mari et moi, des gens simples. »

C'est écrit avec un certain humour, mais l'effet est sauvage.

Rilke dit ne pas comprendre de quoi parle Paula. « Il n'est rien arrivé – ou plutôt, beaucoup de bonnes choses sont arrivées, et le malentendu vient du fait que vous ne voulez pas laisser arriver ce qui est arrivé. » Il l'accuse de ne pas savoir accompagner Clara dans son épanouissement. N'admirait-elle pas son amie précisément pour sa singularité et sa solitude ? La nature de Clara est haute, incomparablement étrange et distante. Paula est à un stade de la beauté que sa sublime amie a dépassé. Mais, dans cette nouvelle solitude, Clara ouvrira un jour ses portes pour la recevoir. Lui-même, Rilke, se tient à l'extérieur, par respect. Voilà le couple, et voilà l'amitié.

C'est écrit avec une certaine poésie, mais l'effet est sauvage.

Paula se tait. Elle va se taire longtemps. Trois mois plus tard, dans son journal, elle se demande ce qu'est une solitude gardée par des portes ; et si la vraie solitude n'est pas, au contraire, complètement ouverte, quitte à marcher main dans la main dans les prés.

Quant à Otto, la réponse de Rilke le met en fureur. La métaphore de la porte lui paraît impossiblement snob, et il ironise sur les hauteurs où navigue la gigantesque Clara. Rilke, de toute façon, est « non allemand », qualificatif que Paula adopte : *Undeutsch.* Le mot, qui se diffuse à cette époque, aura une postérité dramatique. Il devient synonyme de non aryen, d'efféminé, de décadent, de juif. Dès 1933 les Nazis brûlent les livres *undeutsch* : Zweig, Freud, Brecht, Marx, Remarque, Heine, et Gide, Proust, Romain Rolland, Barbusse, Dos Passos, Hemingway, Gorki…

Il reste qu'Otto fut le seul artiste à encourager l'achat d'un Van Gogh par le musée de Brême, jugeant que l'art n'avait que faire des frontières nationales.

*

Le 2 janvier 1902, dans de conventionnels vœux au couple Hauptmann, Paula célèbre trois naissances dans le voisinage : chez les Rilke, chez les Vogeler, et chez un autre peintre qui vient de s'installer, Paul Schroeter : « dans chaque maison un berceau avec une petite fille, et tout n'est que félicité ».

Le 29 janvier 1902, dans son *Journal de Westerwede et de Paris*, Rilke écrit cette courte note : « Fatigue. Soucis. Il y a un an aujourd'hui, Clara Westhoff arrivait à Berlin. »

La première lettre que Clara réussit à écrire à Paula, en février 1902 pour son anniversaire, est interrompue. Ruth Rilke va sur ses quatre mois. Quand la jeune mère reprend sa lettre, elle écrit : « Je suis malheureusement tellement coincée à la maison qu'il m'est devenu impossible de simplement sauter sur ma bicyclette et m'en aller pédaler comme j'en avais l'habitude. Je ne peux plus non plus, comme j'en avais aussi l'habitude, faire un baluchon de mes possessions terrestres et m'en aller sac au dos pour transporter ma vie ailleurs – ma vie est désormais dans cette maison qui reste à bâtir, et donc je bâtis et bâtis, et la totalité du monde se tient ici autour de moi. »

Virginia Woolf souligne dans *Un lieu à soi* que l'éducation des filles consiste à les habituer à mettre de côté leur égoïsme pour s'occuper d'un plus égoïste. Que ce « plus égoïste » soit ici une nourrissonne ou un mari n'y change rien : Clara Westhoff, désormais Clara Rilke, est interrompue.

« Clara voulait vous écrire mais elle est dans les travaux, ses mains ne sont pas à l'écriture. C'est *ma* faute si votre relation avec Clara a perdu en clarté et simplicité. Car c'est moi qui ai chargé cette chère et proche personne d'une nouvelle vie, de soucis et d'un poids qui lui étaient étrangers. Ça l'a changée, beaucoup. Vous avez eu l'impression que nous nous éloignions, mais nous avons été pris par des empêchements, des angoisses. N'oubliez pas que nous ne *pouvons* partager avec personne nos soucis. Il nous est devenu nécessaire d'être seuls, à un point que je ne saurais dire. » Rilke à Paula, l'hiver suivant.

Les Modersohn n'ont aucune idée des difficultés matérielles des Rilke. La petite maison de Westerwede, non loin de Worpswede, est une ruine impossible à chauffer, et il n'y a plus d'argent. Clara met sa force de sculptrice à maçonner entre deux nourrissages. Les cousines de Rilke, le voyant marié et père, suspendent la « bourse d'étudiant » dont il bénéficiait par testament ; et le père de Rilke, qui l'aidait aussi à subsister, a des difficultés financières. Il a trouvé pour son fils un emploi dans une banque à Prague, mais ce serait, pour le jeune poète, renoncer à tout ce qu'il est.

Et Rilke ne supporte pas les cris du bébé, ça l'empêche d'écrire. Ruth est confiée à la mère de Clara. La très petite fille ne reconnaîtra pas ses parents quand elle les reverra un an plus tard.

*

La vie commune de Clara et Rainer Maria dura moins de deux ans, ils ne divorcèrent jamais, ils passèrent rituellement quelques journées d'été ensemble avec la petite Ruth, ils échangèrent longtemps de longues lettres. Puis Rilke s'éloigna dans la vaste Europe. Il écrivit : « Elle n'eut pas de chance, d'être tombée sur moi, car je ne pouvais nourrir en elle ni l'artiste, ni la part qui aspire à un rôle d'épouse. » Ni Clara ni Ruth ne furent conviées à son enterrement. Un mois avant sa mort, très affaibli, il refusa de les voir en menaçant de fuir de l'autre côté de la frontière…

Et qui se souvient aujourd'hui de Clara Westhoff ? Il reste leurs nombreuses lettres, et les journaux de Rilke. Il reste leurs dimanches à Paris, car ils ne se voyaient que le dimanche : le musée Guimet, le Louvre, Versailles, le Jardin d'acclimatation… « Même si plus rien ne nous est donné, qu'une promenade à deux »… Oui, il reste les dimanches avec Clara.

*

Rilke s'installe à Paris pour écrire une monographie de Rodin, qu'il connaît par Clara. Il devient son secrétaire, et son ami. Il gagne sa vie et beaucoup plus : Rodin est pour Rilke un événement. Il personnifie l'Art, un art métaphysique et pionnier qui dévalue immédiatement le groupe de Worpswede. Modersohn et les autres ? Des prudents, confinés dans leur colonie. Visite chez Paula et Otto : « Rien de réjouissant. » Worpswede : « Tout nous y est devenu très étranger. »

C'est Vogeler surtout, aux yeux de Rilke, qui est le type même de l'artiste du paraître. La critique de Rilke s'étend jusqu'aux enfants de son ancien ami, deux petites filles dont l'une vient de naître, Hélène Bettina : Rilke trouve son prénom désuet et en conclut que ce bébé, comme tout ce qui touche à son malheureux père, est déjà du passé. Jugement extravagant d'un père déserteur.

En 1906, Rilke achète un tableau à Paula. Il choisit un petit portrait, d'un très petit enfant, avec de grosses joues qui pendent comme des gouttes, et la main de la mère posée immense sur son épaule.

*

Regardons les hommes se débattre avec les femmes. « Vivre avec une artiste, il y a là un problème absolument nouveau » : Rilke à propos de Clara.

Quant à Otto il juge que personne ne comprend Paula sauf lui. « Le fait qu'elle *est* quelqu'un et qu'elle accomplit quelque chose, personne n'y songe. [...] Elle lutte, toute seule, et un jour elle étonnera tout le monde (comme moi je l'ai fait). Vivement ce jour ! Et en même temps, elle apprend à être une bonne maîtresse de maison, et sur ce point elle en sait certainement autant désormais que Mme Vogeler. »

En juillet 1902, un portrait que Paula peint d'Elsbeth au verger fait basculer Otto dans l'admiration. « Les écailles me sont tombées des yeux [...] : ce sera la course, entre elle et moi. » Son sens de la couleur l'éblouit surtout, mais il regrette que l'indépendance voire la vanité de sa *camarade* entravent parfois ses devoirs d'épouse.

Paula, comme il est parti rendre visite à ses parents, lui écrit à quel point elle se sent libre, divinement libre. Elle aime tant à marcher seule dans la lande. Elle voudrait tant, aussi, repartir à Paris. Et elle lui signale que le tableau qu'il est

70

en train de peindre, celui qu'il veut majestueux, n'est que pompeux.

*

« La première année de mon mariage, j'ai beaucoup pleuré, et des sanglots comme ceux de l'enfance. […] L'expérience m'a enseigné que le mariage ne rend pas plus heureuse. Il ôte l'illusion d'une âme sœur, croyance qui occupait jusque-là tout l'espace. Dans le mariage, le sentiment d'incompréhension redouble. Car toute la vie antérieure au mariage était une recherche de cet espace de compréhension. Est-ce que ce n'est pas mieux ainsi, sans cette illusion, face à face avec une seule grande et solitaire vérité ? J'écris ceci dans mon carnet de dépenses, le dimanche de Pâques 1902, assise dans ma cuisine à préparer un rôti de veau. »

*

La routine, la cuisine. La matérialité des choses. La lumière du matin tombant sur le carnet. Le mélancolique rôti.

Les dimanches avec Paula.

Les autres jours de la semaine, Bertha, la domestique, travaillait de sept heures du matin à sept heures le soir, et s'occupait aussi d'Elsbeth. Otto gagnait bien sa vie, et payait entre autres pour l'atelier de sa femme. Sans être riches, les parents de Paula n'avaient jamais *manqué* non plus, surtout du côté de sa mère, les von Bültzingslöwen. Et son oncle Arthur, qui avait fait fortune, était toujours là en cas de pépin.

Le problème évidemment, c'est d'avoir à *demander*.

« La meilleure cure pour moi serait d'avoir dix mille francs de rente ! » écrit la peintre suisse Sophie Schaeppi, sa contemporaine à l'Académie Julian. Virginia Woolf souhaitera l'équivalent trente ans plus tard, cinq cents livres sterling, dans *Un lieu à soi*.

*

En novembre 1900 Paula peignait l'église de Worpswede, « un ciel gris-blanc, scintillant, et un pan rouge profondément fondu dans une humeur humide et automnale ». Elle apprenait le Paula-Becker, en s'entraînant sur la toile, obstinément. Elle écrivait à son frère aîné, Kurt : « Une jeune femme comme moi est encore une créature ignorante. J'ai entendu l'écho de bien des cloches annonçant bien des nouvelles, mais je ne sais pas dans quel clocher elles se trouvent. C'est là un vice féminin. Inné ou acquis, nos petits-enfants en décideront[1]. »

1. Du premier professeur de Clara (le sculpteur Max Klin-

Et elle les sonnait, les cloches, avec Clara, en fraude, comme on braconne, comme on vole son dû. Elle se débrouillait pour trouver des cours autres que de cuisine. Elle jouait avec la corde menaçant de la pendre, « l'église, les enfants, la cuisine », *Kirche, Kinder, Küche,* les trois K, le programme allemand pour les femmes[1].

Paula peint des jeunes filles, à cet âge où l'on devient grande. Elle les peint dans le ciel, en contre-plongée. Martha Vogeler, la très jeune fille blonde. Le front large et clair, le regard grave, le visage ovale. Un seul arbre, à gauche du tableau. Un sarrau noir couvert d'un tablier blanc. Ou une blouse rouge, cheveux lâchés. Ou un voile transparent, d'un gris-mauve comme le ciel. De face, regard triste à serrer la gorge. Ou de profil, nez, menton, colline en triangles, front courbe comme l'horizon.

Une femme de vingt-cinq ans peint une fille qui devient femme. Une jeune mariée peint une très jeune mariée. Ce qu'elles partagent est silencieux. Le temps pulse. Le soleil est toujours voilé sur ces tableaux. À cet endroit du monde, dehors, dans les bois et les champs, c'est la présence

ger) Rilke rappelait « la peine qu'il prenait pour lui montrer tout le chemin, incroyablement pénible, qui sépare une jeune fille de la réussite ».

1. Ce slogan lancé par Guillaume II avait pris son essor à la fin du XIXᵉ siècle, il triomphera au Troisième Reich.

cotonneuse, assourdie mais puissante, de jeunes humaines debout sur la terre. Non pas à quoi rêvent les jeunes filles, mais ce qu'elles pensent.

Martha Vogeler, évadée d'un tableau de son mari, coiffée de pâquerettes préraphaélites, dans une tunique bleu ciel, les mains chargées d'un vase. Cette pose un peu hiératique, sérieuse, le regard ailleurs, sera désormais la manière de Paula : une jeune fille grave porte un objet comme une offrande. Ni triomphe, ni malaise, ni érotisme délibéré. Ce ne sont pas des mondes d'angoisse ou de secret, mais des mondes de pensée.

« Force et intimité », voilà ce qu'en dit Otto, qui aime particulièrement ces portraits sur le ciel. « Elle est une artiste de bout en bout, sans doute la meilleure femme peintre qui ait jamais résidé ici. » Il loue aussi sa « naïveté et simplicité », mais naïve Paula ne l'est pas, simple non plus. Elle sait ce qu'elle cherche. Elle va à son essentiel, qui est complexe et savant. Surtout, elle sait très bien de quoi elle s'éloigne. Du style Vogeler, mais aussi du style Worpswede. Peut-être sait-elle aussi qu'elle peint après des siècles de regard masculin. Peut-être est-elle consciente de ce quelque chose à dire, de ce quelque chose à elle, d'encore presque inouï, d'encore presque non vu : une femme peint des femmes. Ses jeunes filles nues, ce n'est pas *Puberté* de Munch. Chez Munch, il y a les épaules rentrées sur les seins naissants, les bras croisés pour cacher le pubis, le regard embêté, le rouge aux joues, et l'énorme ombre surplombante – chez Paula, il n'y a pas d'ombre.

Elle vit une liaison avec le soleil : ainsi l'écrivait-elle à Clara juste avant leur brouille. Pas le soleil qui divise, qui brise l'image en ombres ; mais le soleil qui unit les choses : bas, lourd, pensif et comme éteint. Elle peint ce soleil-là : pas d'ombre, pas d'effet. Pas de sens ajouté. Pas d'innocence perdue, pas de virginité bafouée, pas de sainte jetée aux fauves. Ni réserve ni fausse pudeur. Ni pure ni pute. Ici est une *jeune fille* : et déjà ces deux mots sont de trop, chargés de rêveries à la Rilke et de poésie masculine – « laissez-nous donc tranquilles ! ».

*

1902. Une jeune fille devant une fenêtre. Le visage est encadré de deux vases. Derrière, des arbres, et toujours la colline en triangle. Le visage est penché, le regard ailleurs, mélancolique et pensif.

Paula l'a peinte sur une plaque d'ardoise. De ce support singulier, il semble que la robe, les vases, les yeux, tirent un gris sombre. Le visage est fendu par une fine cassure. L'ardoise est fêlée. Le tableau est intransportable. Il m'est arrivé de retourner à Brême seulement pour le voir.

L'autre grand tableau de la féconde année 1902, c'est le portrait d'Elsbeth dans le verger. La fillette, quatre ans, porte une robe à manches courtes, blanche à pois bleus, que son ventre arrondit. Ce qui ôte toute mièvrerie à cette toile si jolie, c'est qu'elle vient après les corps crayonnés, charbonneux, cagneux, gonflés, mal fichus, des petits modèles de Worpswede. Elle vient après un énorme travail.

« Mère, pardon pour cette lettre peu ponctuelle [...]. Il n'y a de place pour rien d'autre que ma dévotion au travail. C'est l'aube en moi, et le jour approche. Je vais devenir quelqu'un. [...] Je n'aurai plus à avoir honte et à rester silencieuse, et je sentirai avec fierté que je suis peintre. Je viens de finir un portrait d'Elsbeth, dans le verger des Brünjes, avec des poules qui courent et, à côté d'elle, une immense digitale en fleur. »

Paula a laissé tomber la perspective. Elsbeth est à plat sur la plaine. Elle est haute exactement comme la digitale. Les poules sont devant son torse. L'herbe, le bois et le ciel font trois bandes de couleur. Les pieds sont dans les racines. Le visage incliné est un infini vers l'enfance. La robe explose de blancheur. Aucune ombre. Comment a fait Paula pour donner à ces petites joues, à ces petits bras, le relief doux et rond absent du reste de la toile ? Elle a mis vingt-sept ans – elle a mis toute la vie.

IV

En février 1903, Paula convainc Otto de la laisser repartir à Paris.

Elle trouve un atelier au 203, boulevard Raspail. Le loyer est de trente-neuf francs par mois, trente marks. Elle se dit gênée par le bruit du tramway électrique et l'absence de vue : elle cherche « au moins un arbre ». Elle parfume sa pièce à l'eucalyptus. Elle reprend des cours avec modèle nu chez Colarossi. Elle déjeune dehors, et préfère, le soir, des crêpes et un chocolat chaud chez elle. La cuisine de Bertha lui manque, surtout les harengs à la crème. Elle fait durer la saucisse fumée que sa mère lui envoie de Brême. Elle revoit le couple Rilke, les trouve gentils mais sinistres. « Ils sont à deux désormais pour sonner dans leur lugubre trompette. »

Mantegna, au Louvre, est une révélation ; elle en contemplait déjà des reproductions en noir et blanc à Worpswede. Et Goya, le gris subtil d'une robe de soie, le rose-rouge d'un visage…

Véronèse. Chardin. Des Rembrandt jaunes de vieux vernis. Des dessins d'Ingres. David. Delacroix. Au musée du Luxembourg elle voit Manet, le « nu avec la négresse » et la « scène sur la terrasse ». Elle revoit avec adoration *La Mer*, un triptyque de Cottet, aujourd'hui naufragé de l'art pompier. Et puis, des estampes et des masques japonais, la vente Hayashi. Son regard se décentre. « La grande étrangeté de ces choses ». Elle est frappée, aussi, par les portraits du Fayoum, ces sarcophages de l'Égypte romaine, visages au regard sombre et direct, aux traits contemporains, et l'application très fluide de leurs couleurs. Quand elle regarde autour d'elle à nouveau, les humains sont plus surprenants que ce qu'en dit la routine de l'art.

Elle déménage, elle a trouvé son arbre et son silence au 29, rue Cassette. Tous les matins, elle a le pain devant sa porte, boit son chocolat et va au Louvre. Puis elle déjeune chez Duval ou se fait des œufs frits. Elle retrouve les bouquinistes des quais, et les vendeuses de violettes du pont des Arts. Elle envoie des bouquets à sa mère, à Otto, à Martha Vogeler. Une orange à la petite Elsbeth pour ses cinq ans. Elle lui décrit les grands oiseaux roses du Jardin d'acclimatation, aux « longues pattes comme papa ». Elle essaie son français avec le fils de la concierge, qui la drague, elle le raconte à Otto ; trouve parfois difficile de sortir seule, montre son alliance sans laquelle elle a « un peu froid ». Les Français sont de grands enfants proches de la nature : elle en parle comme on a pu parler des Africains. Une sieste, puis le jardin du Luxembourg où elle s'exerce à des croquis. Elle lit *Notre-Dame de Paris*, admire les gargouilles en vrai. Rilke a la grippe, elle lui apporte des tulipes, le trouve mondain et flagorneur, et Clara amoureuse d'elle-même. Elle demande à Otto cent quatre-vingts marks, parce qu'elle a tout dépensé. Et aussi, une petite montre. Elsbeth a-t-elle grandi ? Et Otto ? Elle s'amuse.

Elle aime le carnaval, les confettis qui s'accrochent aux chevilles ; le lilas en bourgeons dès la fin février et les saules en chatons début mars, merveilles pour une fille du nord de l'Allemagne. Elle aime le marché du Temple où se fournissent les grisettes, soieries d'occasion, blouses de dentelles, fleurs artificielles aux couleurs fanées, ballerines de satin usées par la danse. « L'intimité, écrit-elle, est l'âme du grand art. » Elle veut peindre la peau, les tissus, les fleurs : ce que photographiera avec génie Francesca Woodman soixante-dix ans plus tard.

Elle va voir Rodin à Meudon. La carte de recommandation de Rilke la présente, en français, comme « la femme d'un peintre très distingué ». C'est samedi, jour de visites, il y a déjà beaucoup de monde dans l'atelier aux marbres. Elle revient le dimanche. Rodin est très aimable, il lui ouvre l'atelier du pavillon : elle découvre ses aquarelles, ses couleurs, sa totale indifférence aux conventions. Elle a aussi un aperçu de son logement sombre et exigu. Comme si la vie était annexe. Travailler et encore travailler : c'est le conseil qu'a donné le Maître au couple Rilke – leur lugubre trompette n'en a soufflé que plus fort. Paula, racontant tout cela à Otto, le cite dans son français à elle : « *La travaille, c'est mon bonheur.* »

Elle rentre à Worpswede au bout de cinq semaines : elle en a subitement assez d'être au loin.

*

L'hiver 1903 est rude dans le nord de l'Allemagne. Paula trouve la neige et la tempête. Les pousses des tulipes ont gelé, les arbres fruitiers sont abîmés, la petite Elsbeth est confinée. Mais il y a de la douceur au foyer après les émotions de Paris. Elsbeth, dite Bettine, l'appelle Mère. Paula s'efforce de répondre à ses nombreuses questions. Elles observent, à la fenêtre, un couple de rouges-gorges. Mangent des pommes au four. Patinent sur les canaux avec les gamins du village. Une nouvelle bonne, Lina, est embauchée (mais il faut, quel ennui, la superviser). Elsbeth a les oreillons. Elsbeth apprend à écrire. Elsbeth fait trop de bruit pour son père – Paula s'échappe pour passer ses journées dans son atelier des Brünjes. « Une vie très constante et régulière », ponctuée par les crises d'angoisse d'Otto, facilement inquiet de sa santé. Et Lina a dépensé soixante marks chez divers fournisseurs ! Heureusement, les Modersohn ont pu les retenir sur son salaire.

Paula dort à son atelier quand Otto n'est pas là. Elle y dîne d'œufs à la coque et de compote. Elle aime ces dîners qui n'en sont pas, « rien qui puisse tenir au ventre d'Otto », sans table à mettre ni cuisine à faire, sauf pour la bonne. Elle lui commande de la *Bierkaltschale* : un entremets sucré à la bière, à la crème et à la cannelle. Ou encore « du riz au lait avec des pommes cuites en quartiers et des raisins secs ». Ou simplement des poires et du pain et du fromage[1]. Ces repas rustiques ou enfantins (on dirait aujourd'hui « régressifs »), Paula les peint : du laitage dans une belle assiette émaillée bleu et blanc. Une baguette parisienne sur une nappe éclatante et savamment plissée. Des œufs frits, beaucoup de pommes, autant de poires, quelques cerises, énormément de potirons, avec un vase, une céramique, un pichet. Ces natures mortes mal nommées sont vives et appétissantes. Un jour d'arrivage, elle peint des bananes. Elle demande à sa sœur Milly de lui envoyer d'Italie un rameau de citronnier.

1. Cela m'évoque le repas préféré d'un autre promeneur et amateur de poires, Jean-Jacques Rousseau : « Avec du laitage, des œufs, des herbes, du fromage, du pain bis et du vin passable, on est toujours sûr de me bien régaler. »

Et elle lit en dînant, bonheur des solitaires. La *Correspondance de Goethe avec une enfant* de Bettina Brentano. En français, George Sand, ses fascinantes liaisons masculines, son style qui manque un peu de « pudeur féminine ». Et elle s'émerveille de se trouver toujours si « extrêmement heureuse quand Otto n'est pas là ». C'est qu'elle a plaisir, se dit-elle, à penser à l'absent. Et puis elle redevient *Paula Becker*. Et ça, c'est un délice.

« Une moitié de moi est toujours Paula Becker, et l'autre moitié y joue. »

*

Un autoportrait signé d'un bandeau en capitales rouges, PAULA MODERSOHN. Des portraits de femmes, ses sœurs ou des paysannes. D'hommes, ses frères ou des paysans. Deux grands nus de Mme M., hanches rondes, seins tombants, visage patient et recueilli, yeux presque clos. La « grandeur simple de tout cela ». Ne pas compliquer, ne pas distraire, « ne pas surfaire ». Elle cherche. Elle creuse, littéralement, au bois du pinceau dans la matière. Elle aime « l'impression tactile de l'application de la couleur ». Elle travaille à une profondeur épaisse, couche après couche, une surface « rude et vivante », comme les vieux marbres ou les sculptures de grès travaillées par le temps, celui qui passe et celui qui pleut.

« Un seul but occupe mes pensées, consciemment et inconsciemment. » « Oh, peindre, peindre, peindre ! »

Journal d'Otto : « Paula peint, lit, joue du piano, etc. La maison est entre de bonnes mains – c'est seulement son intérêt pour la famille et sa relation à la maison qui est trop faible. J'espère que ça va s'améliorer [...]. Elle déteste le conventionnel et tombe maintenant dans l'erreur de préférer l'anguleux, le laid, le bizarre, le dur. Ses couleurs sont formidables – mais la forme ? L'expression ! des mains comme des cuillères, des nez comme des épis, des bouches comme des blessures, des visages de crétins. Elle charge tout. [...] Et inutile d'essayer de la conseiller, comme d'habitude. »

En vacances dans la Frise à l'été 1903, Paula écrit une joyeuse lettre à sa famille, où elle décrit Otto aux toilettes en proie à des coliques, réclamant du papier, du papier, vite !

*

C'est maintenant, la vie quotidienne, la routine de leur mariage.

Autour de la maison elle a planté des rosiers, des tulipes, des œillets, des anémones. Elle arrose, désherbe, a les ongles noirs. Elle trace dans le jardin des bordures et des sentiers, sème des parterres touffus, imagine des coins retirés avec des petits bancs. Les fleurs fragiles, elle les tuteure avec des chiffons de couleur. Elle a rapporté de Meudon le goût du vert en désordre, ne veut pas d'un jardin allemand. Elle installe même des pergolas, qu'elle décrit à sa tante Marie comme extravagantes, une sous un grand sureau, une autre sous un bouquet de bouleaux, une autre qui portera des courges... Au centre du jardin, elle place un grand globe de verre, qu'on retrouve dans certains de ses tableaux, étrange et féerique.

Otto, lui, collectionne les oiseaux naturalisés. Il vit parmi les mouettes empaillées, les chouettes, les hérons, les canards, les échassiers. Dans un aquarium, un crabe, une carpe et une ablette blanche, trois couples de grenouilles, une salamandre, des araignées d'eau. Et dans un bocal quatre poissons rouges, que Paula peindra façon Matisse, mais dix ans avant Matisse. Elle le décrit le soir « content de fumer sa pipe » ; pour lui, « la vie n'est qu'un repos après l'art ».

L'été 1904, ils le passent à Fischerhude, à une quinzaine de kilomètres de chez eux. C'est un autre village d'artistes, plus plat que Worpswede, et devenu presque aussi touristique ; s'y trouve aujourd'hui le musée Otto-Modersohn[1]. L'au-

1. Il y a refait sa vie après la mort de Paula. C'est à Fischer-

berge où ils descendent existe toujours, deve-
nue un hôtel chic. Avec eux sont les Vogeler, et
une sœur de Paula, Milly et son mari. Parties de
canot, bains dans les rivières, danses à la Isadora
Duncan ; Otto joue de la flûte. Et nudisme. Petit
déjeuner au naturel au bord de l'eau – sans
Mme Vogeler, précise Otto dans son journal.

C'est le début de l'hygiène allemande du
grand air. 1904 est l'année où *Mon système,* les
exercices de gym du lieutenant Müller, devient
un best-seller instantané[1]. Idéal de beauté
grecque. Quinze minutes de mouvements tout
nu tous les matins : ces « bains d'air » sont très
populaires. Le prince de Galles et Franz Kafka
s'y adonnent, et Paula. De jolis dessins de son
mari la montrent à ses exercices, nue, gironde
et tonique. Elle incite sa jeune sœur Herma à
s'inscrire au gymnasium, et à ne pas trop céder
à son penchant pour la lecture.

Deux grands moments de ce séjour à Fischerhude : le lit de Paula s'effondre ; Paula et Heinrich Vogeler se disputent violemment. Je n'en
sais pas plus.

---

hude aussi que s'installera Clara Westhoff seule avec Ruth ;
elle y mourra en 1954.
    1. Müller était danois. La Fédération allemande de natu-
risme sera fondée en 1918, la première au monde, suivie par
les Scandinaves. Un des plus grands centres naturistes d'Europe reste aujourd'hui l'île d'Amrun, dans la Frise, où Paula
se baignait, pluie ou soleil.

*

Automne 1904 – silence. Lettres éparses et journal à l'arrêt. Paula se plaint de ne rien peindre de bon.

Sur une photo de l'hiver 1904, elle est assise dans son atelier, sur son canapé à fleurs de lys, celui qui apparaît souvent dans ses tableaux et qui faisait éclore chez Rilke des rêveries blanches et princières. À ses côtés est posé un portrait de paysanne avec enfant. Par terre, un seau et une pelle à charbon. Seules coquetteries sur son épaisse robe sombre, des manchons de dentelle assortis à un col fermé par un camée.

On croirait un personnage des *Buddenbrook*[1] de Thomas Mann, son contemporain de la Hanse. Une de ces jeunes femmes sérieuses, élevées au grand air de la Baltique, protestantes, bourgeoises, mélancoliques.

J'essaie de voir où réside sa force. Elle a le regard dans le vague. Ouvert et pensif. C'est la photo d'une femme qui peint, seule, dont les peintures ne sont pas vues.

*

1. Paru en 1901.

La même année Rilke écrit à un jeune poète :
« Un jour (des signes certains en sont apparus maintenant dans les pays du Nord, où ils
brillent dans le ciel), un jour la jeune fille et la
femme cesseront d'être seulement le contraire
de l'homme, elles seront une réalité en elles-
mêmes ; non plus un complément et une limite,
mais l'existence et la vie ; ce sera la condition
humaine sous sa forme féminine[1]. »

*

Elle cherche. Elle touille. Elle malaxe. Un bébé
endormi dans un plaid rouge. Une fillette en chapeau de paille. Une vieille femme voilée de noir.

Une pâte dont émergeraient ici une ligne, là
un regard. Un bébé qui tète un sein en gros
plan. Des fillettes nues. Des chats dans les bras
de fillettes. Des choux et des céramiques. Un
manège. Une vache. Quelques paysages.

Elle tire de sa pâte des fils et des traits. Et c'est
comme si elle défaisait ses tableaux jour après
jour pour les fondre dans la matière à nouveau,
pour extraire de ses aplats les reliefs et la forme
colorés du monde.

Mais la forme est molle et elle tourne en rond.
Elle se sent seule. Paris, *son* Paris lui manque.

1. Rilke, *Lettres à un jeune poète*, 14 mai 1904.

La vie à Worpswede lui semble faite d'« expériences purement intérieures », et elle a besoin de la beauté de la ville, de son agitation, de sa fermentation. Otto ne lui a pas encore donné la permission, mais elle repartira quand même.

*

Dans la nuit du 14 au 15 février 1905, « une certaine Paula Modersohn », comme elle l'écrit plaisamment à sa sœur Herma, est dans le train pour Paris, en veste grise et chapeau assorti. Herma gagne sa vie comme gouvernante dans le XVIe arrondissement. Les deux sœurs sont ravies de se retrouver. Un grand amour sororal, un amour particulier qui se lit dans leurs lettres, va s'épanouir à ce moment-là.

Otto est très inquiet de voir repartir sa femme. Et les fonds sont un peu bas. Cet hiver il a vendu, péniblement, deux toiles.

La première lettre que Paula lui écrit est joyeuse et en demi-français :

« Dans Aix-la-Chapelle
Je suis très fidèle
De Herbesthal
des baisers sonder Zahl
À Verviers
Encore un baiser
De Liège à Namur

Je pense an das Tantengetier.
à Charleroy
an die Grossmama,
à Paris
freu ich mich wie noch nie.
Je suis la tienne
Ta petite parisienne
Avec son chapeau rond
Elle va voir la monde
Avec un chapeau gris
Sans Soucis.

Je suis à Paris. Enfin, mais je n'ai pas vus notre petite Herma malgré mon télégram et je n'ai pas ma jolie petite chambre rue Cassette, qui a la vue sur le jardin. Demain nous verrons. Maintenant je pense, de faire un bon someil. Mille choses pour vous trois. Votre P. »

*

Du 16 au 19 février, trois lettres de suite à Otto, le ton est beaucoup plus morose. La chambre de la rue Cassette, celle de l'arbre et du silence, est occupée. Sa nouvelle chambre est une « cage » minuscule, une « prison » face à un mur. Son moral en est affecté au point qu'elle ne sort pas, frappée de stupeur. Une journée à la campagne avec Herma la requinque. Elle déménage au 65, rue Madame, sixième étage, vue sur un jardin et le ciel. Lit à baldaquin, table et chaises, cheminée, balcon avec deux portes-fenêtres, quarante-cinq francs par mois.

Elle s'inscrit cette fois à l'Académie Julian, tôt le matin, pour aller dans les musées après. Elle trouve que les étudiantes peignent comme il y a cent ans. Une Russe lui demande si elle voit *vraiment* le monde comme elle le peint. Les gens sont étonnants, il y a même une Polonaise qui s'habille et se tient comme un homme. Et d'autres trop coquettes et peu recommandables.

Dans la rue, les gens se retournent sur elle et rient : c'est son chapeau gris. Les boutiquières la montrent du doigt. Un cocher se moque d'elle. Un portier la traite d'anarchiste. Elle doit courir au Bon Marché se doter d'un couvre-chef plus parisien. Et pas moyen de trouver des patates : à la place, du pain, toujours du pain. Sa mère, à Worpswede pour s'occuper d'Elsbeth, lui envoie un bouquet de perce-neige. Flot de lettres de la capitale au village, et retour. Sur le mur de Colarossi, elle a vu un graffiti, c'est écrit « J'aime Clara », elle est sûre que c'est de la main de Rilke. Ce serait si drôle qu'Otto vienne pour le Carnaval. Représentation d'*Hernani,* comment a-t-on pu se battre pour cette pièce « impossiblement pompeuse » ? Les Français sont « intoxiqués de leur propre langage ». La note du boucher ? Quelle note du boucher ? Il doit y avoir une erreur. Surtout qu'il ne la paie pas avant son retour !

La mère d'Otto meurt soudain. Veut-il que Paula revienne ? Qu'il le lui dise, elle prendra un train tout de suite. Mais qu'il ne renonce pas pour autant à son voyage à Paris. Elle voudrait lui montrer tant de choses ! C'est si bien, ici ! Elle s'est liée avec Cottet, croise Zuloaga, voit beaucoup d'expositions. Gravures de Rembrandt à la Bibliothèque nationale. Sculptures de Maillol. Van Gogh. Et Matisse, quelle merveille, et Seurat au Salon de Paris. Le *pointillisme* est en vogue, quelle excentricité ! Elle a découvert les Nabis, rendu visite à Maurice Denis. Et bientôt ce sera Carnaval. Vraiment, cette fois, il faut qu'il vienne.

Otto enterre sa mère, Paula lui raconte ses promenades au bois de Boulogne avec Herma et « deux Bulgares ». Otto s'occupe de son vieux père effondré, elle revient d'une journée « terriblement drôle » au jardin du Luxembourg avec son *cavalier*, brun, beau, intelligent, mais qui mange de l'ail et qui crache. Les cours de dessin s'achèvent cette semaine : elle en est vraiment triste. Mais quel printemps ! Les Parisiens ont sorti leurs canotiers. À Meudon, les pêchers sont en fleurs. Et les Folies Bergère ! Toute la ville s'embrasse, on a besoin d'aimer. Il *faut* qu'Otto vienne. « *Au revoir, mon chére, mon coucou sagen hier die kleinen veliebten Mädchen. […] Je suis à toi de tout mon cœur. Ta petite femme aimante.* »

Otto vient.

Journal d'Otto : « 29 mars-7 avril. Voyage à Paris avec Milly, Heinrich Vogeler, Martha et

Marie Vogeler. Nous avons tous résidé à l'hôtel de Paula (rue Madame). Nous avons vu les Gauguin chez Fayet ; et Buffalo Bill. Le séjour n'a pas été agréable. »

*

Retour à Worpswede. Près de ses canaux, Otto est d'une humeur moins sombre (il est resté muet pendant toute la semaine). Il admet la nécessité des voyages. Comprend que Paula trouve leur vie monotone. Récapitule dans son journal tout ce qu'elle lui a apporté : le mouvement, les bains d'air, les promenades à minuit, les parties de patin à glace, la fantaisie, la jeunesse.

De toute façon, Paula l'a décidé : elle passera désormais tous ses hivers à Paris. Worpswede, le manque de lumière, le brouillard et le froid boueux : fini. Elle prépare un autre voyage. Avoue à sa mère qu'elle a mis de côté, en secret, cinquante marks. Demande à Carl Hauptmann de lui prêter quatre cents marks « pour quelqu'un d'autre » et de ne pas en parler à Otto… (Hauptmann et son épouse la jugeront bientôt « frivole et sans cœur ».) Et c'est à sa mère encore qu'elle avoue qu'elle « expérimenterait bien autre chose ». Et qu'elle regarde les bébés avec envie.

Otto a vendu quelques toiles, ce qui autorise de petits séjours à Hambourg, à Dresde et à Berlin, et des sorties au théâtre à Brême, et entendre Wagner. En décembre 1905, le couple retourne chez les Hauptmann, y rencontre le sociologue Werner Sombart, admire les montagnes sous la neige. Oui, Otto fait des efforts.

De cette vie quotidienne, hiver allant vers le printemps, émergent ainsi des tableaux. Des natures mortes. Un autoportrait au chapeau de paille, émouvant mais comme inachevé. Beaucoup de petites filles dans la pose énigmatique que leur donne Paula, doigts en tulipe sur une fleur absente. L'enfance comme gravité suprême. Les petites filles savent tôt que le monde ne leur appartient pas.

Et Clara est revenue à Worpswede. Elle reste, malgré tout, la meilleure amie de Paula. Qui la peint, en robe blanche, une rose à la main, la tête un peu renversée, grave. Une pose paula-beckerienne, solennelle sans emphase, et sérieuse, et pleine, et belle.

Et puis, un autoportrait aux iris. Il est un point de bascule, un moment parfait. Une simplicité : me voici, voici les iris. Voyez : c'est ce que je suis, en couleurs et en deux dimensions, en mystère et en calme.

Paula va avoir trente ans. Le tableau est vert, orange, iris et noir. Intensité violette, yeux sombres. La peau et les cheveux sont orange.

La robe et le fond sont verts. C'est une île entre elle et Gauguin, dont elle lit *Noa Noa*. Les perles du collier ont la forme et la couleur des yeux. La bouche est entrouverte, le regard est tendu, elle souffle, elle respire, *elle va parler.*

*

Désormais Paula porte de l'ambre sur un grand nombre de ses autoportraits. Est-ce un cadeau, a-t-elle acheté ces colliers ? L'ambre de la Hanse, de cette Europe nordique, balte, russe et viking. L'ambre jaune, résine de pin fossile, sève ancienne à son cou. « Larmes des dieux » selon Ovide, pierre de mémoire qui sertit des insectes millénaires. L'ambre est tiède au toucher, au contraire du verre.

« Je crois que je vis très intensément au présent. »

Otto, dans son journal : « Un immense sens de la couleur – mais une peinture criarde, peu harmonieuse. Elle admire les tableaux primitifs, ce qui est très mauvais pour elle – il faudrait qu'elle se concentre sur les peintures artistiques. Elle veut unir forme et couleur – aucune chance qu'elle y arrive de la façon dont elle s'y prend. […] Les femmes ont beaucoup de mal à créer par elles-mêmes. Mme Rilke, par exemple. Elle n'a que Rodin à la bouche. »

Le journal de Paula s'interrompt[1]. Restent les lettres. Quand elle écrit, c'est souvent que les circonstances l'empêchent de peindre, et elle parle de ça : du manque, et de la pulsion. Elle se moque un peu du coquet Vogeler qui geint de voir partir ses toiles. Elle, qui ne vend rien, écrit que « l'art, comme abondance et naissance perpétuelle, n'est dirigé que vers l'avenir ».

Les tableaux existent. Ils se suffisent. Elle les décrit peu. Parle peu de son art. Clara, après la mort de son amie, évoquera ce silence : « Peut-être lui était-il impossible d'articuler ces choses de façon compréhensible – cette expérience était peut-être si indicible pour elle que sa seule expression était une transformation dans son propre travail ». Et puis : comment écrire les tableaux ? On peut décrire leurs traits, leurs formes, l'opposition de leurs couleurs. On peut les commenter, les critiquer. On peut en faire l'histoire et les mettre en contexte. Mais les écrire ? L'espace bée entre les mots et les images. De la faille montent des projections, des rêves. Ces années-là, à Giverny, Monet com-

1. Quand Rilke, en 1917, refuse de participer à l'édition de ses papiers posthumes, il se demande si les écrits des dernières années ont été retirés (peut-être par Paula elle-même) ; « ou si, simplement, les années de la fin furent trop courtes pour lui permettre une quelconque articulation dans la course hors d'haleine de son art ».

mence sa série des *Nymphéas*, passerelles sur l'eau et plantes flottantes, lumière.

*

Pour ses trente ans, la mère de Paula, Mathilde, lui écrit une superbe lettre, un récit plein de flammes et de fureur, l'épopée de la naissance de Minna Hermine Paula Becker le 5 février 1876 à Dresde.

C'est une lettre de femme à femme trente ans après l'événement. Une lettre de mère à fille, dans un monde sans hommes – la lettre du Grand Secret. Cette nuit-là, Woldemar Becker s'absente : l'Elbe, prise par les glaces, a débordé. Les montagnes sous la tempête vomissent des forêts arrachées, l'inondation est partout, les rails qu'on vient de poser risquent d'être empor- tés. Pour la première fois après deux naissances il laisse sa jeune épouse accoucher seule, aux prises avec une sage-femme incompétente et bornée.

Minna Hermine Paula vient tout de même au monde. Mathilde, vingt-trois ans, est au lit à nourrir son *petit colibri*, la pluie bat aux fenêtres, la lampe à huile crachote dans son réservoir d'eau. L'énorme et vieille sage-femme veut se faire réchauffer du café, elle fait déborder le réchaud à alcool, tout prend feu : la mère de Paula la décrit dans les flammes, une sorcière

96

qui tousse et crache le nom de Jésus et ne trouve rien de mieux que lancer le bazar sur le lit, et c'est la jeune accouchée qui doit éteindre l'incendie. Cet accouchement épique, la robuste Mathilde mettra six mois à s'en remettre, fièvre, seins engorgés, infection. Qu'importe, son petit colibri fête aujourd'hui ses trente ans.

V

Trente ans. Comme la Nora de *Maison de poupée*, Paula quitte tout, maison et mari, pour autre chose, pour l'inconnu.

Journal, 24 février 1906 : « J'ai quitté Otto Modersohn et je me tiens entre mon ancienne vie et la nouvelle. Je me demande ce que sera cette nouvelle vie. […] Ce qui doit être, sera. »

Depuis quelques jours elle transporte à son atelier des Brünjes les affaires dont elle aura besoin. Elle met Rilke dans le secret. Est-ce qu'il pourrait lui dégoter un sommier, un chevalet, une table et une chaise pas trop laides ? Elle descendra rue Cassette. Elle ne sait comment signer :

« Je ne suis plus Modersohn et je ne suis plus Paula Becker non plus.

Je suis

Moi,

et j'espère devenir Moi de plus en plus. »

Au même moment Herma écrit à leur mère combien elle est contente que Paula, pour une fois, soit présente aux côtés du *brave Otto* pour son anniversaire, ayant renoncé pour de bon à cavaler à Paris.

*

Cérémonieux comme toujours, généreux comme souvent, Rilke se met à la disposition de Paula. « Je vous remercie de me prendre dans votre nouvelle vie. […] Sachez que je me réjouis pour vous et avec vous. Votre serviteur, Rainer Maria Rilke. » Il cherche de l'argent pour l'aider. Lui prête cent francs. En parle au banquier et mécène Karl von der Heydt : « Mon plus grand étonnement fut de trouver la femme de Modersohn au cœur d'une évolution très personnelle : elle peint, spontanément et de façon directe, des choses qui, bien que très "Worpswede" ne pourraient être vues et rendues par un autre qu'elle. » Et il lui achète un tableau, le petit enfant aux joues en forme de gouttes. C'est le premier tableau qu'elle vend de sa vie.

*

Paula quitte la rue Cassette, trop chère, et trouve un atelier au 14, avenue du Maine. Il existe toujours, dans ce quartier pourtant très rebâti qu'est Montparnasse. Rilke n'a pas pu s'occuper de lui trouver des meubles, d'ailleurs il a déjà quitté Paris, dans un de ces mouvements rapides dont il est coutumier. Heureusement un des Bulgares est là : il bricole pour Paula une table et des étagères qu'elle recouvre de tissus colorés. Herma décrit le tout à leur mère avec une gaieté forcée. Paula, de son côté, trouve Herma déprimée.

*

Dans une première lettre froide et triste à Otto, Paula parle d'autre chose. Et un peu des Bulgares, pour préciser qu'ils ne sont pas là. Puis, sous l'avalanche de ses lettres éplorées et pressantes, elle essaie de le convaincre que leur séparation est inévitable.

Et s'il peut aller à son atelier et lui envoyer six de ses meilleurs nus, pour qu'elle puisse s'inscrire aux Beaux-Arts. Les dessins se trouvent dans le grand portfolio rouge pendu à la porte. Qu'il les roule dans un cylindre et les poste à sa nouvelle adresse avec l'étiquette « sans valeur commerciale », pour éviter les frais de douane. Et ses papiers d'identité, elle a dû les laisser à l'atelier, elle en a aussi besoin pour s'inscrire. À défaut, un certificat de mariage fera l'affaire. Ah oui, et le livre d'anatomie resté sur l'étagère. Et aussi, elle n'a plus d'argent. Est-ce qu'il est toujours d'accord pour lui en envoyer ? Merci beaucoup. Tous les bourgeons pointent à Paris. Merci à Elsbeth pour sa jolie broderie. Affectueuses salutations.

*

Dans un effort désespéré Otto lui cite ses anciennes lettres, ses lettres d'amour à elle. Et lui parle de leur jardin, dont les fleurs jaunes s'ouvrent, le printemps vient.

« Cher Otto. *Combien* je t'aimais. […] Mais je ne *peux pas* revenir vers toi maintenant. Je ne *peux pas.* Je ne veux pas non plus te voir ailleurs. Et je ne veux aucun enfant de toi ; pas *maintenant.* »

Elle a décidé. Il faut. Il souffre, elle souffre, mais il faut vivre et travailler. Et elle lui raconte encore Paris. Et la Bretagne : l'immense étendue de la mer à seulement dix heures de train, les pommiers, le soleil, la douceur et les roses, le Mont-Saint-Michel et l'omelette de la mère Poulard. Elle lui envoie une carte postale des rochers sculptés de Rotheneuf, qu'on qualifierait aujourd'hui d'art brut. Elle le remercie pour ce voyage qu'il finance, ainsi que des deux cents marks du mois dernier, qui lui ont permis de payer son loyer et ses frais d'arrivée. Mais s'il doit l'aider, qu'il lui envoie donc cent vingt marks tous les quinze du mois sans qu'elle ait toujours à demander.

Otto a pris, dans l'atelier de Paula, toutes les natures mortes. Il vit entouré d'elles. Il essaie de s'en inspirer pour y trouver la vie, l'éclat, le souffle. Mais selon la mère de Paula, qui tient compagnie au malheureux, il n'obtient que des « sortes de preuves mathématiques ».

Et quand les Vogeler veulent acheter un tableau à Paula, il faut insister auprès d'Otto pour qu'il veuille bien s'en séparer. Frau Brockhaus, une amie qui visite l'atelier des Brünjes, achète elle aussi une nature morte : l'argent permet à Paula de rembourser Rilke, via Otto qu'elle charge du transfert… Avec le petit enfant acheté par Rilke, ce sont les trois tableaux qu'elle vendra de son vivant.

Otto, lui, a vendu cinq tableaux en ce début d'année. Paula demande à sa sœur Herma de lui écrire pour lui demander de l'argent… Et à son autre sœur Milly, soixante francs pour payer les modèles.

L'argent, l'urgence : le nerf de sa solitude, l'impasse de son indépendance.

*

« Je deviens quelqu'un. » Les lettres de Paula résonnent de ce mantra. Ni Modersohn ni Becker : quelqu'un.

Bernhard Hoetger l'y encourage. Hoetger est un sculpteur allemand rencontré à Paris. Il

102

est admiratif et même stupéfait de son talent. Paula rencontre aussi sa femme. S'ébauche une répétition des premiers temps avec Modersohn : l'admiration, la demande d'approbation, le seul avis qui compte, moi qui me sentais si seule, vous croyez en moi, j'en pleure de joie, vous ouvrez les portes qui me barricadaient… Mais Hoetger aime sa femme. Paula fait d'elle plusieurs portraits : belle tête rectangulaire, col carré, tresse sur le front, grande force droite, « magnifique à peindre, et grave ». Main en forme de tulipe.

Hoetger, lui, travaille à un « magnifique nu allongé, tout simplement monumental ». Paula contemple, chez son ami, une version de son futur monument funéraire. Il lui reste à vivre un printemps et deux étés.

*

Elle travaille. Natures mortes, autoportraits, beaucoup de grands nus. Pour la seule année 1906, plus de quatre-vingts tableaux. Un tableau tous les quatre ou cinq jours. Fébrile. Elle vit avec ses toiles, se réveille la nuit pour les regarder à la Lune, les reprend à la première lumière du matin. Essaie de ralentir. De passer plus de temps sur chacune. Mais s'attarder sur une toile, c'est « risquer de tout bousiller ».

*

Rilke rentre fin mars d'un voyage avec Rodin dont il est toujours le secrétaire. Paula et lui assistent, avec une foule d'admirateurs, au dévoilement du *Penseur* devant le Panthéon. Mais le 10 mai, suite à un malentendu, Rodin renvoie Rilke comme un « domestique voleur ». Chassé de Meudon, démuni et blessé, le poète se réfugie à l'habituelle adresse du 29, rue Cassette.

Il pose alors pour Paula, dans ce temps retrouvé. Ils sont l'un devant l'autre, ils se regardent, dans la parole ou le silence, générosité mutuelle et don commun, ils font ce tableau comme on fait l'amitié. De leurs heures ensemble ce portrait est la trace. Rilke est orange, blanc, noir et vert. Il paraît très jeune. Une barbe de pharaon, une moustache de Hun, le col haut et rigide, le front large, les yeux cernés, le blanc de l'œil violet, le regard exorbité, les sourcils levés, la bouche ouverte. Il ressemble aux professeurs ahuris d'*Adèle Blanc-Sec* (et les chapeaux de Paula ressemblent à ceux d'Adèle). La bouche est lippue, le nez est gros, la barbe rectangulaire, les yeux noyés. Le visage est comme déformé par une tension vers la droite. Rilke regarde loin, ailleurs, dedans, il semble frappé par ce qui, le reste de sa vie, le fera écrire sans trop savoir vivre.

Paula voit ce que d'autres ne voient pas. Vingt ans après exactement, le 30 avril 1926, le peintre Leonid Pasternak écrit à Rilke : « J'ai vu deux portraits de vous dans une revue, la *Querschnitte*, pour l'un j'ai oublié le nom de l'artiste, je crois qu'il présente quelque ressemblance avec vous ; par contre l'autre – dû au pinceau de Paula Modersohn, femme peintre assez connue et non dénuée de talent, je crois – je n'ai rien pu trouver qui vous ressemblât, même de loin. Un tel changement est-il possible ? Bien sûr que c'est un malentendu ou une erreur de nom, peut-être... Enfin, laissons cela. »

*

Ce printemps 1906, Paula et Rilke passent tous leurs dimanches ensemble, à Fontainebleau ou Chantilly, parfois accompagnés d'Ellen Key, une féministe suédoise amie de Rilke, beaucoup plus âgée qu'eux. Ils vont dîner en tête-à-tête le samedi soir chez Jouven, à l'angle du boulevard Montparnasse et de la rue Léopold-Robert, bistrot ainsi décrit par un contemporain : « Les tables y étaient si rapprochées que les conversations ne pouvaient avoir de secrets [...]. Nous entendions autour de nous parler toutes les langues [...]. Que de femmes peintres ! Quelle peinture faisaient-elles ? Elles portaient des jupes longues, c'était le temps des "entravées", et des chapeaux énormes, chargés de fleurs et de fruits[1]. » Paula y prend volontiers des asperges, et Rilke du melon.

1. Adrien Bovy, in *Ramuz vu par ses amis*, souvenir de 1906, éditions L'Âge d'homme, 1988.

Le 13 mai, au retour d'une promenade à Saint-Cloud, Paula s'aperçoit qu'elle n'a plus son sac. Rilke fait tout ce qu'il peut, il zigzague, il s'évertue : « Je suis allé à notre banc à Saint-Cloud, au pavillon bleu, à l'endroit où nous avons pris notre thé, au poste de police du parc et au bureau des bateaux-mouches. Aux deux derniers endroits j'ai décrit l'objet ainsi que son contenu et j'ai laissé votre adresse. On vous préviendra au cas où on le trouverait mais n'y comptez pas. On m'a dit qu'il aurait dû être rendu, si la personne avait dû le rendre. Mais la plupart des voleurs n'ont pas cette intention. Je suis triste que le souvenir de notre après-midi soit imprégné d'une atmosphère de perte. Je suis triste surtout que quelque chose d'irremplaçable ait été dans ce petit sac, mais on ne peut plus rien y faire. »

D'autres choses vont se perdre. Le monde court à sa perte, vite, pour s'enterrer dans les tranchées de Verdun. Et il reste à Paula cinq cents jours de vie.

Début juin, Otto débarque à Paris sans prévenir, pour la convaincre de rentrer. Herma témoigne d'une semaine très difficile. Le portrait de Rilke en est, peut-être, resté inachevé : le poète aurait fui devant l'irruption du mari. Les yeux, si noirs, surnaturels, ne seraient pas finis. Mais j'aime y voir une percée délibérée :

le regard vivant de Rilke, et la brèche pour son fantôme.

Paula ne rentre pas. L'été 1906 est brûlant. Son atelier est infesté de puces, et elle ne voit pas le ciel, car la verrière est en épais verre jaune. Elle se demande où le passer, cet été. Comment le franchir. Comment affronter ce désert de chaleur, comment vivre la minute qui vient. Elle ne sait pas que la vie sera courte, mais pour l'instant elle est invivable. Elle rêve d'air et de campagne. « J'espère avoir bien d'autres étés à venir, où je pourrai peindre dehors. »

Le 3 août, elle n'a jamais eu aussi chaud de sa vie. La tête lui tourne, elle écrit à Rilke, s'il a trouvé un joli coin pour les vacances, qu'il le lui dise, elle vient. Sa signature est en forme de question : « Votre Paula - - - ? »

Rilke répond qu'il est avec Clara et Ruth près de Furnes, sur la côte belge. Il ne précise pas le nom du village. « Ce n'est pas du tout la mer que vous cherchez. » Et c'est cher, presque autant qu'Ostende. Morlaix et Saint-Pol-de-Léon, voilà qui serait mieux : il lui fait la liste des arrêts du train, lui conseille d'acheter le guide officiel 1906, *Bains de mer et excursions, Normandie,* à la gare Montparnasse pour cinquante centimes. Descendre à l'hôtel de Saint-Jean et des Bains. Ne pas manquer la pointe de Primel. À Saint-Jean-du-Doigt, voir la fontaine Renaissance et l'église du XVᵉ, prendre le chemin ombragé vers la plage.

Étrange lettre déplacée, écrite de Belgique et vantant la Bretagne. « Nous vous saluons tous et nous vous souhaitons de bons plans de voyage. Meilleur train pour aller à Roscoff : le soir à 8 h 24. »

Alors Paula renonce. Un froid dans la chaleur. Silence.

Un an plus tard, Rilke lui écrit une lettre toute de regrets. « Maintenant je peux vous dire que pendant tout ce temps j'ai ressenti comme une faute de ne pas vous avoir écrit de venir quand on m'a fait suivre en Belgique votre courte lettre. J'étais alors absorbé par mes retrouvailles avec Clara et Ruth, et Oostduinkerke ne me faisait pas grande impression. Ce n'est que plus tard que j'ai eu le sentiment d'avoir commis une injustice avec ma réponse et d'avoir été inattentif à un moment de notre amitié où je n'aurais pas dû l'être. […] Moi, ce qui me rend triste, c'est que je ne vais pas vous revoir maintenant. »

Ils se sont vus pour la dernière fois le 27 juillet 1906, à dîner chez Jouven. Ils ne le savent pas – si jeune, on ne sait pas que c'est la dernière fois, et quand le survivant se retourne sur les phrases, leur sens déborde sur le néant. Ils ne partageront plus d'été, ils ne se promèneront plus ensemble, il n'y aura plus jamais de dimanche avec Paula.

*

Le 12 août, la vague de chaleur est passée. Paula supporte mieux le confinement de Paris, et un peu mieux sa solitude. Un petit dessin au crayon montre son atelier. Au mur, un portrait de Mme Hoetger, et un grand nu allongé avec enfant.

C'est par ce grand nu que j'ai rencontré Paula. C'était, je crois, en 2010, une annonce, un *spam*, pour un colloque de psychanalyse sur la maternité. L'image était illustrative et minuscule, et j'ai pensé d'abord à un poster qui me fascinait enfant, acheté encadré par mes parents pour leur chambre : une maternité de cet artiste des années soixante-dix ou quatre-vingt, Toffoli, qui produisait à la chaîne des personnages ronds et carrés sur couleurs chaudes. Mais ce n'était pas Toffoli.

Pourtant c'était l'enfance, la toute première. Qui était cet artiste, d'où venait ce savoir sur l'allaitement ? Car je voyais là, pour la première fois, cette position si confortable, non enseignée alors dans les maternités et jamais vue non plus dans les Vierges à l'enfant : pas assise, pas encombrée de l'enfant sur le bras, mais allongée de côté l'enfant contre soi. La somnolence laiteuse, la bulle de lait et la chaleur à deux. En 2010 je nourrissais mon troisième enfant, et j'allais l'allaiter deux ans, en faisant fi de tout et de mes propres préceptes.

En 2001 j'avais écrit *Le Bébé* en cherchant à lutter contre les clichés, contre le « qu'est-ce qu'une mère ? ». Quand le livre est paru, j'ai compris que certains hommes ne peuvent pas prendre au sérieux la maternité. La mère et le bébé, le vrai de cette expérience première et banale : si la mère n'est pas représentée comme une madone (Vierge à l'Enfant) ou comme une putain (Vénus et Cupidon), ils ne savent pas où se mettre.

Paula est peintre et elle voit que le modèle (la modèle) s'est endormie allongée le bébé face à elle. Elle fait plusieurs dessins au crayon, et peint deux toiles. Les seins ont de larges aréoles, le pubis est noir et fourni, le ventre est rond, les cuisses et les épaules solides. Dans les dessins, la mère et l'enfant se câlinent du bout du nez ; dans les toiles ils sont alanguis et symétriques, tous deux en position fœtale, la grande femme et le petit enfant. Ni mièvrerie, ni sainteté, ni érotisme : une autre volupté. Immense. Une autre force.

Tout ce que je savais en regardant cette toile, c'est que je n'avais jamais rien vu de tel. Une femme montrée ainsi, et en 1906. Qui était Paula Modersohn-Becker ? Pourquoi n'avais-je jamais entendu parler d'elle ? Et plus j'ai lu, et plus j'ai vu (d'autres allaitements puissants, la mère tenant son sein comme seule une femme peintre, peut-être, peut le donner à voir), plus je me disais que je devais écrire la vie de cette artiste et contribuer à montrer son travail.

*

En mai 2014 je suis à Essen, dans la Ruhr. La Ruhr, pour les Français, c'est la mine. Mais ce nulle part industrieux et surpeuplé, terminus du Thalys depuis Paris, possède un des plus beaux musées du monde, le musée Folkwang. Immenses baies vitrées, structure de métal léger. Et dans ce musée, il y a une toile de Paula ; un de ses autoportraits les plus forts.

Je suis avec Michel Vincent, le directeur du Centre culturel franco-allemand d'Essen ; et Hans-Jürgen Lechtreck, un conservateur du musée Folkwang. Hans-Jürgen est beau, jeune, drôle et subtil. Il est aussi embêté : il nous fait descendre au sous-sol pour voir l'autoportrait. C'est une installation… il cherche le mot… *provisoire*.

Au sous-sol du musée sont exposées les œuvres de femmes. Le plafond est bas, la lumière est mauvaise. Nulle part ailleurs je n'ai vu à quel point *l'art féminin* est considéré comme inférieur à l'art. En haut, dans la lumière : Van Gogh, Cézanne, Gauguin, Matisse, Picasso, Braque,

Kirchner, Nolde, Kandinsky, Klee... En bas, dans l'ombre, un désordre de statuettes anciennes mêlées à des vidéos contemporaines. Déesses, maternités, reines : le seul fil conducteur est que ces œuvres sont faites par des femmes *ou* représentent des femmes.

Dans un angle mort, derrière une grosse télé, le chef-d'œuvre de Paula, l'*Autoportrait à la branche de camélia*. La situation est d'autant plus paradoxale que le musée se recommande de cet autoportrait pour ses publicités : il ondule à la verticale sur une bannière de deux mètres dans l'avenue[1].

En vrai, le tableau est petit. 60 centimètres sur 30.

Elle nous fixe du regard.

Quelle détresse, dit Michel.

Un regard très triste, confirme Hans-Jürgen.

Les deux hommes se demandaient s'ils ne voyaient pas, au bas des iris brillants, un trait de larmes.

Elle s'est peinte en contre-jour, sciemment. Elle laisse le spectateur dans la lumière. Il me

1. Un an après, Michel Vincent me dira que le tableau est remonté à l'étage.

semble qu'elle sourit légèrement. Mais deux plis font tomber les coins de ses lèvres. Yeux cernés. Sa main en forme de tulipe tient une branche de camélia. Elle porte un lourd collier d'ambre. Ses sourcils sont légèrement froncés, concentrés.

Pour moi, elle peint. Ça n'empêche pas d'interpréter : l'amertume, la déception de la vie maritale, la solitude artistique. Mais elle ne nous prend pas à partie. Son regard est d'abord fixé sur sa propre toile et sur le miroir où elle scrute la forme de ses traits.

C'est l'autoportrait d'une femme qui peint.

*

C'est cet autoportrait que les nazis ont choisi, avec un autre autoportrait nu en pied, pour exposer Paula comme *dégénérée, entartet*. « La peintre de Worpswede, très célébrée après sa mort, est une déception profonde. Sa façon de voir est si peu féminine, et si grossière. […] Son travail est une insulte à la femme allemande et à la culture paysanne. […] Où est la sensibilité, le féminin-maternel ? […] Un mélange dégoûtant de couleurs, de figures idiotes désignées comme paysans, enfants malades, dégénérés, la lie de l'humanité[1]. »

1. Cité par Tine Colstrup dans le catalogue du musée

*

Chez Paula il y a de vraies femmes. J'ai envie de dire des femmes *enfin nues* : dénudées du regard masculin. Des femmes qui ne posent pas devant un homme, qui ne sont pas vues par le désir, la frustration, la possessivité, la domination, la contrariété des hommes. Les femmes dans l'œuvre de Modersohn-Becker ne sont ni aguicheuses (Gervex), ni exotiques (Gauguin), ni provocantes (Manet), ni victimes (Degas), ni éperdues (Toulouse-Lautrec), ni grosses (Renoir), ni colossales (Picasso), ni sculpturales (Puvis de Chavannes), ni éthérées (Carolus-Duran). Ni « en pâte d'amande blanche et rose » (Cabanel, moqué par Zola). Il n'y a chez Paula aucune revanche. Aucun discours. Aucun jugement. Elle montre ce qu'elle voit.

Et aussi : de vrais bébés. L'histoire de l'art a accouché d'une tripotée de petits Jésus terriblement ratés au sein de Madones sceptiques. Museaux de singes, cous de vieillards, allaitements qui évoquent au mieux la vache, au pire une partie de billard à trois bandes. Non, on voit chez Paula des bébés comme je n'en avais jamais vu en peinture, mais tels que j'en ai connu en

---

Louisiana, 2015. La « Maternité couchée » est aussi désignée comme *entartet,* dans un long article du journal de Brême du 28 août 1935.

vrai. Le regard concentré, agrandi, presque fixe, de la petite personne qui tète. La main posée sur le sein, ou le poing fermé. Le poignet inexistant, un pli. Le cou qui ne tient pas. Les jambes dodues mais non musclées. Les bras parfois maigres. Les joues colorées ou pâles, mais jamais du teint des adultes. Et autour d'eux, la rondeur des oranges de Paula…

Quand la petite Elsbeth touche ses seins dans le bain et la questionne, Paula répond avec lyrisme : « Ce sont là des mystères. » L'origine du monde : la vie au bout des seins. Que les petits humains sortent du vagin des femmes, c'est déjà un scandale. Mais que les seins servent à les nourrir, c'est carrément du vol, c'est du détournement. On n'imagine pas Olympia un nourrisson à la mamelle. Quant au Vagin de la Vierge, c'est un territoire en folie.

Je ne sais pas s'il existe une peinture de femmes, mais la peinture des hommes est partout. Quand Paula visite le Louvre, le musée n'expose que quatre femmes artistes : Élisabeth Vigée-Lebrun, la première à y être entrée ; Constance Mayer et ses peintures allégoriques ; Adélaïde Labille-Guiard et ses portraits au pastel ; et Hortense Haudebourt-Lescot, une artiste un peu plus récente, qui entre au Louvre début XXe. Une lettre de Rilke à Clara à propos du Salon d'automne 1907 parle d'une salle entière consacrée à Berthe Morisot, et une cimaise à

Eva Gonzalès[1] ; c'est suffisamment rare pour être noté. Musées ou galeries, il y a immensément moins de femmes exposantes que de femmes exposées, et ces dernières sont très souvent nues. Et pour avoir peint des nus, Constance Mayer, sous Napoléon, a été moquée et conspuée[2].

On peint les femmes. « On », c'est l'universel masculin, des siècles de ce regard. Paula lit *L'Œuvre* de Zola au printemps 1906 ; dans cette fiction inspirée par Cézanne, la femme est nue, honteuse, modèle sacrifié dans l'atelier glacé : « Ce fut ainsi que Christine, décidément battue, sentit peser sur elle toute la souveraineté de l'art. » À mesure que le roman et l'âge avancent, sa chair s'amollit et son peintre de mari lui fait remarquer que « des poches se gonflent sous ses aisselles ».

1. Eva Gonzalès (1849-1883), élève de Manet, meurt à trente-quatre ans d'une embolie pulmonaire quelques jours après avoir accouché.
2. En 1812 un certain Le Franc assassine sa *Jeune Naïade* : « Je ne voudrais pas qu'on prît tant de soin pour apprendre à une jeune fille en quoi consistent les belles proportions du corps humain, pour l'instruire de la forme et des fonctions de chacun des muscles qui le composent, pour lui faire connaître enfin et le fémur et le sacrum, et tant d'autres belles choses dont l'étude ne me semble rien moins qu'édifiante… Une femme doit borner ses prétentions à peindre quelques bouquets de fleurs ou à tracer sur la toile les traits de parents qui lui sont chers. Aller plus loin, n'est-ce pas se montrer rebelle à la nature ? N'est-ce pas violer toutes les lois de la pudeur ? » Constance Mayer se suicidera en 1821, à quarante-cinq ans.

Quand Paula peint des nus un siècle après Constance Mayer, personne, dans son entourage, ne songe à lui reprocher son impudeur. Elle a pu se former à l'anatomie sans se cacher, et elle n'est pas isolée : les étudiantes des académies qu'elle fréquente, et sa contemporaine Suzanne Valadon, travaillent le nu. Mais de là à se peindre elle-même nue…

*

Au musée Modersohn-Becker, son musée de Brême, il y a son autoportrait le plus célèbre, celui dont on parle quand on parle d'elle. Nue jusqu'aux hanches, debout de trois quarts, grand collier d'ambre et petits seins pointus, son ventre est gonflé. Une grossesse de quatre ou cinq mois. Elle a, exceptionnellement, écrit une phrase au bas de la toile : « J'ai peint ceci à l'âge de trente ans, à l'occasion de mon sixième anniversaire de mariage, P.B. »

Mais pour les dates, impossible. Le 25 mai 1906, Paula n'est pas enceinte. Un mois avant, elle est précisément en train d'expliquer à Otto qu'un enfant, pas maintenant, pas de lui. Pourtant elle entoure son ventre de ce geste protecteur et fier qu'ont beaucoup de femmes enceintes.

Les Modersohn-Beckeriens, trente personnes sur cette planète, discutent pour savoir ce que ça veut dire. On évoque son alimentation. Trop de choux et de patates. L'autoportrait d'une femme ballonnée : encore un peu de potage ? Mais elle peut très bien s'*imaginer* enceinte. Gonflant son ventre par jeu, cambrée, nombril en avant. *Pour voir*. L'autoportrait comme autofiction. Elle se peint comme elle veut, et comme elle imagine : elle peint une image d'elle. Belle, joyeuse, un peu taquine.

Et là, attention : c'est la première fois. La première fois qu'une femme se peint nue.

Le geste de se déshabiller et de se planter devant sa toile et d'y aller, là : ceci est ma peau, je vais montrer mon ventre, et comment se modèlent mes seins et mon nombril… L'auto-portrait nu d'une femme, seule à seule avec soi et l'histoire de l'art[1].

Est-ce parce les modèles coûtent cher ? Est-ce délibéré ? Cette femme saine, sportive, jolie, ronde, nudiste, allemande, aimait son corps. Se peindre nue : ce geste-là. Nul narcissisme : du travail. Tout est à faire. D'après miroir ou photo. Tout est à trouver. Je ne sais pas si elle a conscience de ça : d'être la première. En tout cas, nue, elle a toujours l'air joyeuse.

---

1. Artemisia Gentileschi (1593-1652/1653) est sans doute la première femme à avoir peint une femme nue ; mais on discute encore pour savoir si sa géniale *Suzanne et les vieillards* est un autoportrait. Quant à l'autoportrait aux seins nus de Suzanne Valadon, il date de 1917.

*

Rilke, *Requiem* :

« Car à cela tu t'entendais : les fruits dans leur plénitude.

Tu les pesais sur des coupes devant toi,

tu en évaluais le poids par les couleurs.

Et comme des fruits aussi tu regardais les femmes

et les enfants de même, modelés par une poussée intérieure

jusqu'aux formes de leur existence.

Et pour finir, toi-même tu te vis comme un fruit,

tu te dépouillas de tes vêtements, tu allas te placer

devant le miroir et tu t'y enfonças

jusqu'à y perdre ton regard : lequel, gardant courage,

s'abstint de dire : c'est moi. Non : ceci est »[1].

*

Deux photos mystérieuses montrent Paula nue jusqu'à la taille. Elles datent d'une même pose, vers l'été 1906. Elles sont le modèle de deux autoportraits nue au collier d'ambre, très frontaux, proto-cubistes. Elle est couron-

1. Rilke, *Requiem pour une amie*, traduction de Jean-Yves Masson.

119

née de pâquerettes. Mains creusées en tulipe ; l'une tient un fruit, l'autre monte vers l'épaule. Grande force souriante.

Photos mystérieuses parce qu'on ne sait pas qui les a prises. L'atmosphère est calme, intime forcément, et sérieuse, studieuse : c'est une séance de travail. Le regard de Paula est confiant, attentif, serein.

Une hypothèse audacieuse attribue la photo à Rilke[1]. Mais j'ai du mal à imaginer ces deux-là, dans leur vouvoiement compassé, dans leur évitement du sexe ensemble (sinon du flirt) – j'ai du mal à les imaginer, elle nue, lui habillé, *clic*. Mais c'est une jolie hypothèse. Rilke et Paula partageaient une intensité. Tous les deux savaient ce qu'ils cherchaient et ce qu'ils voulaient : écrire, peindre, trouver une solitude où se tenir et créer. Fuyant chacun leur mariage exactement au même moment, ils affirment que personne ne peut exiger d'eux, au nom d'aucune convention, de dévier leur chemin[2]. Alors, peut-être,

1. Diane Radycki, *Paula Modersohn-Becker : The First Modern Woman Artist*, Yale University Press, 2013, p. 153.
2. Rilke à Clara : « Nous sommes obligés d'ajourner sans cesse notre vie commune [...]. Le monde qui est le mien a commencé son mouvement de croissance vers l'impersonnel ; l'ayant commencé à partir de la petite maison enneigée où Ruth est née, et ne cessant de croître depuis lors, loin de ce centre auquel je ne pourrai limiter mon attention, aussi longtemps que la périphérie gagnera de tous côtés dans l'infini. » (17 décembre 1906, à Capri.)

entre ces deux artistes, entre ces deux amis, une telle photo fut possible.

La version officielle, celle du catalogue raisonné, suggère que la photo fut prise par Herma, la sœur de Paula. Il faut donc admettre que la jeune gouvernante possédait un appareil photo en 1906 : immense luxe. D'autres pensent que la photo a pu être prise par Werner Sombart, le sociologue barbu rencontré chez les Hauptmann en janvier 1906, et qui aurait été l'amant de Paula, la rejoignant brièvement à Paris. Mais pourquoi pas, dans ce cas, un des Bulgares ? Paula a peint un très beau portrait de Sombart – mais pas du beau Bulgare, dont le visage nous est perdu...

Et cette photo a pu être prise par Otto tout simplement. Mais là encore j'ai du mal à imaginer ce couple en mal d'amour trouver la paix pour de telles prises de vue.

Il reste ces images d'elle, son empreinte sur des sels argentiques à l'été 1906. Elle, *en vrai* ; ses seins pointus, son ventre large, ses épaules rondes, un léger sourire, et l'ambre sombre sur sa peau blanche.

*

Deuxième tentative d'Otto pour reprendre sa femme à Paris, 3 septembre 1906 : « Cher Otto.

Tu arrives bientôt. Mais je dois te le demander, par pitié de toi et de moi : épargne-nous cette épreuve. Laisse-moi, Otto. Je ne veux pas de toi pour mari. Je ne veux pas. Accepte ce fait. Cesse de te torturer. Laisse le passé où il est. Je te demande d'arranger tout le reste selon tes vœux et désirs. Si tu aimes toujours mes peintures, choisis celles que tu veux garder. Ne prends plus aucune disposition pour que nous nous retrouvions. Cela ne ferait que prolonger le tourment. Je dois encore te demander de l'argent, une dernière fois. Je te demande la somme de cinq cents marks. Je m'en vais à la campagne pour un moment, alors envoie-les à B. Hoetger, 108, rue de Vaugirard. D'ici là je compte avoir pris des mesures pour assurer mon entretien. Je te remercie pour tout le bien que j'ai reçu de toi. Je ne peux rien faire de plus. Ta Paula Modersohn. »

9 septembre, nouvelle lettre. « Cher Otto. Ma lettre dure, acerbe, a été écrite sous le coup d'une grande contrariété. J'avais entendu à Bâle que tu n'avais rien dit à Maman des raisons de notre mésentente, ce qui était pourtant de ton devoir. Et ensuite j'ai vu, dans les lettres de Kurt, que tu as rejeté la faute de ta nervosité sur mon dos, ce qui – catégoriquement – n'est pas le cas. Tu m'as raconté, à moi, que ton voyage de noces avec Hélène s'était déroulé de la même manière. Mon souhait de ne pas attendre d'enfant de toi n'a été que passager et je me tenais debout sur

de faibles jambes. Mon indignation quant à ton accusation s'est finalement condensée dans cette lettre. Je suis désolée de l'avoir écrite. Si tu ne m'as pas absolument quittée, alors viens vite, que nous essayions de nous retrouver. Le changement dans mon esprit va te sembler bizarre. Moi, pauvre petit être humain, je ne sais pas quel est le bon chemin pour moi. Tout ça m'est tombé dessus et je ne me sens, malgré tout, pas coupable. Je ne veux tourmenter aucun de vous. »

16 septembre. Paula et Otto en sont aux détails pratiques pour le couchage. Doit-elle lui louer une chambre à lui, ou un atelier, et compte-t-il envoyer des draps par avance, et s'il peut y joindre sa couette à elle, celle qu'elle aime, en kilt.

Les Modersohn-Becker vont rester six mois à Paris. Et quelle que soit la façon dont ça se passe, Paula est enceinte au mois de mars 1907.

*

En novembre 1906, un tableau de Paula, sans doute la *Petite fille au chapeau noir*, est exposé au musée d'Art de Brême dans une exposition collective. Sa mère, qui ne se prive pas de lui dire qu'elle n'a jamais pu supporter ce portrait, lui envoie deux coupures de presse : « une fanfare » ! Gustav Pauli, le directeur du musée, rappelle le cruel traitement rencontré en 1899 par cette artiste « extrêmement douée, avec un sens inouï de la couleur » ; il craint que son talent « sérieux et puissant » ne soit à nouveau ridiculisé car « il lui manque presque tout ce qui flatte le regard non averti [...]. Quiconque déciderait de voir de la laideur dans sa *Tête de jeune fille*, et, brutalement, la mépriser, peut compter en toute sécurité sur l'approbation complaisante de bien des lecteurs ».

Cette critique apporte à Paula de la satisfaction, à défaut de joie. Elle l'écrit à sa sœur Milly, plus bourgeoise, plus croyante, plus mariée, lui expliquant que la vraie joie est secrète et se trouve dans la solitude… regrettant de ne savoir lui parler de son art… la grondant de souhaiter un fils alors qu'elles sont nées filles et formidables… détaillant les babioles qu'elle s'est achetées avec son envoi d'argent, une paire de magnifiques vieux peignes, et une paire de vieilles boucles de chaussures… Otto ? « L'homme est touchant dans son amour. » « Et je serai reconnaissante de l'amour qu'on me donne ; si je peux rester en bonne santé, et ne pas mourir trop jeune. »

Pour ses trente et un ans, Paula reçoit encore de Milly une pièce d'or et une broche ; de sa mère, un bracelet ; d'Elsbeth, un dessin d'un meunier avec des patates ; d'Otto, un châle blanc et un livre sur les portraits du Fayoum. Et de Mme Hauptmann, depuis les Sudètes, un énorme gâteau glacé au sucre, comme un gage de réconciliation. Justement, les Hauptmann décident de rendre visite à Paris au couple réuni.

À Rilke : « Les derniers mois, à Paris, je n'ai rien fait. Ça va encore prendre très longtemps, je le crains, avant que je devienne quelqu'un. »

Le 9 mars 1907 elle annonce à sa mère et à Milly qu'elle est enceinte, mais chut, de n'en parler à personne.

*

« J'ai pris conscience, cet été, que je ne suis pas femme à savoir rester seule. Ce qui compte le plus : la paix pour mon travail, et ça je l'ai aux côtés d'Otto », écrit Paula à Clara en quittant Paris. Elle laisse ses meubles en dépôt chez sa propriétaire, à charge pour Rilke de les vendre.

Et c'est en voyant des aquarelles de Cézanne, des mois plus tard, que tout à coup Rilke se souvient : il ne s'est pas occupé des meubles ! « C'est affreux, c'est incroyable, avoir pu oublier une chose pareille […]. J'espère que mon oubli n'est pas trop grave. Doit-on tout vendre, ce serait plus simple ? J'ai oublié le numéro de la maison si bien que je ne peux rien faire. Dois-je y aller ? Je crains d'avoir fait une bêtise. Dites-moi quelque chose, et si possible quelque chose de réconfortant. »

Ce sont les dernières lettres que les deux amis vont s'échanger, quatre lettres sur des meubles, ces *impedimenta*, tout un fardeau qui semble toujours entre eux. Et question encombrants, Paula se pose là. Oui, c'est quand même « un peu mal », lui écrit-elle, d'avoir oublié tout son mobilier. L'adresse, c'est facile, 49, boulevard du Montparnasse, à l'Académie Vitti. Si un brocanteur est intéressé, que Rilke vende tout et le convertisse en quelque chose de beau, une broche en nacre par exemple, comme celle qu'elle a perdue à Paris. Ou encore, une cloche de table en bronze, en forme de dame. Ou bien des reproductions photographiques de Gauguin, il y en a chez Drouet, 114, rue du Faubourg-Saint-Honoré. En tout cas, qu'il lui envoie le catalogue du Salon d'automne, avec les Cézanne. Parce qu'elle, hélas, ne pourra pas y aller.

Rien d'un enfant à venir, sauf cette allusion à un voyage impossible.

Rilke localise les meubles, mais les propriétaires de l'Académie sont partis tout l'été : impossible de faire ouvrir, la concierge est intraitable. « Le capital reste tel qu'il est, il ne va pas augmenter, espérons qu'il ne va pas diminuer non plus. Dès que j'aurai le temps je reprendrai l'affaire et vous ferai un petit rapport. » D'autant qu'elle lui a vraiment *tout* laissé, c'est ce qu'il découvre à la réouverture : le matelas, le sommier, deux tables, deux chaises, un grand miroir, et quantité de petits objets.

Fin octobre, Rilke « passe sa vie chez Vitti ». Ces meubles, eh bien personne n'en veut. Le plus petit des brocanteurs n'a fait que hausser les épaules ; et même à moitié prix, la concierge ne veut pas en entendre parler. « Et finalement la catastrophe » : Mme Vitti vend l'atelier. Il faut débarrasser le plancher. Comme il ne peut tout de même pas tout laisser sur le trottoir, il a décidé de donner les meubles à un modèle, et le matelas à la concierge. Et comme, malgré tout, tout ça est un peu de sa faute, il propose à Paula vingt francs de dédommagement. Quant à lui acheter quelque chose, il n'en aura pas le temps, il peut « partir du jour au lendemain ». Il lui envoie le catalogue du Salon d'automne. « Vivez bien et soyez un peu indulgente envers votre dévoué RM Rilke. »

C'est la dernière phrase qu'il écrira à Paula.

*

La même semaine il écrit à Clara une lettre qui préfigure ses *Élégies*, comme une *anti*biographie, ce à quoi tendrait le silence si le silence disait la vie : « Ah, nous comptons les années, nous pratiquons des coupures ici et là, nous arrêtons, nous reprenons, nous hésitons entre les deux… Pourtant, combien tout ce qui nous arrive est d'un seul tenant, combien chaque chose est liée à l'autre, et s'engendre, et grandit, et se forme elle-même… et nous n'avons au fond qu'à être là, mais simplement, instamment, comme la terre est là, disant oui aux saisons, claire et sombre et toute dans l'espace, ne demandant pas à reposer ailleurs que dans le réseau de forces et d'influences où les étoiles se sentent en sécurité. »

Être ici, la splendeur.

*

Paula est enceinte dans un autoportrait de 1907. À partir de mars, elle est forcément enceinte dans ses autoportraits, mais dans celui-ci cela se *devine*. Elle nous regarde sérieuse, un peu moqueuse, les joues du même rose que les deux fleurs tenues à la Paula, et son autre main est posée sur l'arrondi du ventre très haut, la courbe de la sphère.

Un autre autoportrait enceinte, nue jusqu'à la taille, plus frontal et plus stylisé : elle s'y représente dans une composition façon fresque entre deux cariatides. Ventre rond, couronnée de fleurs, collier d'ambre, coupe de fruits dans une main, orange dans l'autre. Elle semble satisfaite, un peu malicieuse. Une des cariatides a l'air excédée, l'autre est moqueuse. C'est, techniquement, le premier autoportrait enceinte nue de l'histoire de l'art, mais il n'en reste qu'une photo en noir et blanc : il a été détruit dans le raid aérien du 24 juin 1943, avec une partie de la collection des Van der Heydt dans leur maison familiale.

Se rend-elle compte, Paula, qu'aucun peintre, aucun*e* peintre, ne s'est jamais représentée enceinte ? Elle semble peindre si « spontanément » au rythme de la vie et de la toile ; avec son regard que Rilke qualifiera de « pauvre[1] », ce regard nu ; mais avec dans les yeux Cézanne, Gauguin, Van Gogh et le Douanier Rousseau et le passé impressionniste et le cubisme qui vient. Elle peint ce qu'elle a sous les yeux : cet être-là, cette présence au monde, et qui se trouve enceinte. Les mêmes années, 1902 puis 1907, les portraits de Klimt d'une femme très enceinte et très nue font scandale. *Espoir* est leur titre. Des squelettes y entourent la future mère.

*

La seule photo de moi sur les murs de chez moi est un portrait de Kate Barry, une artiste et une femme que j'aimais beaucoup. Sur cette photo, je me reconnais. Elle date du printemps 2001. En noir et blanc, dans un halo un peu Madone et dans ma cuisine, je suis enceinte de six mois.

1. Dans son *Requiem*, Rilke dit ce même mot de « pauvre » pour le regard de Cézanne. (Lettre du 7 octobre 1907 à Clara.)

Je l'ai souvent proposée aux journaux de l'époque quand ils me demandaient des portraits. Elle a été systématiquement refusée. « On voudrait une photo normale » a toujours été la réponse.

*

À sa sœur Herma : « Merci pour la layette. Je peins à nouveau, et si seulement j'avais une cape magique pour me faire disparaître, mon seul vœu serait de peindre et peindre encore. » (8 octobre.)

À sa sœur Milly : « "zut, le gosse m'a fait tomber d'ma chaise !" Voilà comment je me sens. La seule chose à faire, c'est d'être patiente avec moi ; sinon, il ou elle va s'énerver aussi. Et ne m'écris plus jamais avec des mots comme "langes", ou "heureux événement". Tu me connais assez pour te rendre compte que je suis du genre à préférer garder pour moi le fait d'être bientôt concernée par des langes. » (Octobre, jour indéterminé.)

À Clara : « Je n'ai cessé de penser à Cézanne ces derniers temps, et j'y pense toujours ; combien, parmi trois ou quatre autres artistes puissants, il m'a frappée tel un orage et un grand événement. Te souviens-tu de ce que nous avons vu chez Vollard en 1900 ? Et ces peintures de jeunesse à la galerie Pellerin, les derniers jours que j'ai passés à Paris. Dis à ton mari d'aller les voir. Pellerin a cent cinquante Cézanne. Je n'en ai vu que quelques-uns, mais ils sont magnifiques. Mon besoin de tout savoir du Salon d'automne est tel que je lui ai demandé de m'envoyer au moins le catalogue. Viens vite, lundi si tu peux, car j'espère bientôt, enfin, être occupée par ailleurs. Si je n'étais pas absolument obligée d'être ici en ce moment, rien ne me retiendrait loin de Paris. » (19 octobre.)

À sa mère : « Comme j'aimerais passer la semaine à Paris ! On y expose en ce moment cinquante-six Cézanne ! » (22 octobre.)

*

Mathilde Modersohn naît le 2 novembre 1907. L'accouchement est très difficile. Il dure deux jours et se termine au chloroforme et aux forceps. Le médecin ordonne à Paula de garder le lit pour se remettre.

La mère de Paula est très heureuse, surtout après « le cauchemar de l'année dernière ». Le bébé porte son nom, Mathilde. De mère à fille, une autre fille est née. Ses lettres sont des idylles : « Paula est allongée sur des oreillers d'une blancheur de neige, sous ses Gauguin et Rodin adorés. Un soleil d'hiver radieux perce entre les petits rideaux blancs, et les géraniums rouges, sur le rebord de la fenêtre, sont tout sourire… » Et j'aimerais croire aussi que Paula était heureuse, je veux croire que cette enfant lui fut une immense joie.

Hugo Erfurth, un photographe venu pour immortaliser Otto, prend quelques images de la mère et l'enfant : Paula, dans l'oreiller, est très marquée, le visage déformé, souriante. Le bébé est soit en pleurs, soit endormie.

*

Dix-huit jours plus tard, Paula a enfin le droit de se lever. Une petite fête est organisée. Elle demande un miroir au pied de son lit, tresse ses cheveux en couronne, épingle des roses à sa robe d'intérieur. La maison déborde de fleurs et de bougies, tout est illuminé. Paula se lève, et elle est foudroyée. Elle meurt d'une embolie d'être restée couchée. En s'écroulant, elle dit « Schade. » C'est son dernier mot. Ça veut dire dommage.

*

J'ai écrit cette biographie à cause de ce dernier mot. Parce que c'était dommage. Parce que cette femme que je n'ai pas connue me manque. Parce que j'aurais voulu qu'elle vive. Je veux montrer ses tableaux. Dire sa vie. Je veux lui rendre plus que la justice : je voudrais lui rendre l'être-là, la splendeur.

Et je sais que je parle pour un autre mort, mais il viendra, les morts reviennent, j'écrirai sa courte vie, c'était mon frère et il s'appelait Jean, il a vécu deux jours, mais il n'est pas encore temps.

Comme elle fut courte, ta vie…[1]. Alors j'ai fait des allers et retours à Brême, profitant d'une conférence, d'une lecture, d'un documentaire (Arte m'avait invitée sur les terres d'Arno Schmidt, mon autre « cher Allemand », sa lande était proche de celle de Worpswede). J'ai même embarqué ma famille au mois d'août en camping-car, il faisait beau dans le nord de l'Allemagne, nous n'avons croisé que des Allemands et des Polonais, ils nous demandaient en riant ce qu'on faisait là, nous allions dans le mauvais sens, dos aux mers chaudes. Nous voguions de tableau en tableau.

*

Clara a la lettre d'Otto dans les mains, elle vient, elle vient sur la tombe. Que faire d'autre ? Et la nouvelle attrape Rilke à Venise, en douce compagnie avec Mimi Romanelli. Il écourte son séjour, il écrit à Mimi, en français, sans évoquer directement Paula : « Il y a de la mort dans la vie […]. Je n'ai pas honte, Chère, d'avoir pleuré un

1. « *Wie war dein Leben kurz…* » Rilke, *Requiem*.

autre dimanche dans la gondole froide et trop matinale qui tournait et tournait toujours [...]. C'est toujours encore cette mort qui continue en moi, qui travaille en moi, qui transforme mon cœur, qui augmente le rouge de mon sang [...]. »

Un an exactement après la mort de Paula, à la Toussaint 1908, Rilke, à Paris, trois nuits hantées, écrit le *Requiem pour une amie*. Il est à l'Hôtel Biron, 77, rue de Varenne, un lieu repéré par Clara et qui deviendra le musée Rodin. À une autre des femmes qu'il aime, Sidonie Nadherny, Rilke décrit la fièvre qui l'a pris : « J'ai écrit et j'ai fini, sans penser au lien remarquable avec la date elle-même, un requiem pour une personne [...] qui est morte il y a un an : une femme qui, des formidables débuts de son travail artistique, a été rattrapée, d'abord par sa famille, et de là par un destin infortuné, et une mort impersonnelle, une mort à laquelle, dans la vie, elle ne s'était pas préparée. »

J'ai repoussé la relecture du *Requiem* à la toute extrémité de cette biographie. Ça commence et mon crâne est la chambre où résonnent les accords. Lire ce texte c'est écouter. Les traductions sont musicales, et variées, et au fil de mes recherches j'ai appris à entendre l'allemand. *Ich habe Tote...*

Rilke n'est pas mon écrivain préféré. Il n'est pas Kafka, son contemporain. Kafka, je ne sais pas comment il a écrit ce qu'il a écrit. Rilke, je vois ses difficultés, ses réussites, ses triomphes, ses petitesses. Je vois le travail, le beau travail, le difficile. Je peux me dire que nous faisons atelier commun.

Paula était son égale dans l'atelier. La seule femme peut-être qu'il considérait ainsi, avec qui il luttait et qu'il aimait dans cette égalité.

Mais il ne la nomme pas. Est-ce que *Paula* aurait été trop familier ? Quel nom alors, ni Becker ni Modersohn, ni le père ni le mari… « À une amie ». Rilke a eu tant d'amies. Et tant d'amies mortes, aussi. Rilke a des morts, *Ich habe Tote*, mais elle est la seule à « être là ». Une seule *revient*. Et pour la première fois, il la tutoie.

« Comprendre que tu es là. Je comprends.
Tout comme un aveugle comprend une chose non loin de lui,
je sens ton sort, et ne sais pas de nom qui lui convienne.
Ensemble, lamentons-nous […][1]. »

Il évoque de façon simple et narrative cette mort telle qu'Otto l'a racontée à Clara ; le miroir, la coiffure. Il hait la mort faite à Paula, cette mort qui n'est pas la sienne. Il hait cette mort prématurée, une mort qui vole la vie[2]… Et il accuse

---

1. Traduction de Jean-Yves Masson, 1996.
2. Pour la longévité dans l'œuvre, Rilke cite à Clara le vieux

« l'homme fait », celui qui se sent le droit de pos-séder, quand nul ne peut ni ne doit retenir « la femme qui ne nous voit plus et qui poursuit sa route sur l'étroit liseré de son existence ».

« C'est ainsi que tu mourus comme mouraient les femmes d'autrefois, tu mourus d'une mort démodée dans la chaude maison, de la mort des femmes en couches qui veulent se refermer et ne le peuvent plus, parce que cette obscurité dont elles ont accouché avec l'enfant revient, impérative, et rentre en elles[1]. »

En écrivant *Le Bébé* en 2001, je citais déjà Rilke, mais je ne connaissais pas Paula Modersohn-Becker, je ne savais pas qu'elle me manquait.

*

Ici une pensée pour Otto, veuf deux fois de deux jeunes épouses, laissé deux fois père avec une très petite fille qui réclame la mère et le lait.

Elsbeth et Mathilde, les deux petites filles, les deux demi-sœurs, les deux vieilles dames, ont

---

Cézanne, soixante-dix ans : « Je fais tous les jours des progrès, quoique lentement. Je continue donc mes études. Je me suis juré de mourir en peignant. » Et il cite le vieux Hokusai à Lou Andreas-Salomé : « C'est à l'âge de soixante-treize ans que j'ai compris à peu près la forme et la nature vraie des oiseaux, des poissons et des plantes. »
1. Je traduis ici en prose en m'appuyant sur la traduction de Lorand Gaspar, 1972.

fini leur vie ensemble à Brême. Elles avaient eu chacune des métiers dans l'assistance et le soin.

*

À Wuppertal je me souviens des mains du conservateur, il manipulait doucement les tableaux, il les retournait pour moi. Nous étions dans les caves : les dix-neuf tableaux de Paula que le musée possédait étaient tous à ce moment-là dans les réserves.

La petite fille au chapeau noir, la petite fille avec la main sur la poitrine, une grande paysanne assise, la nature morte aux poissons rouges, une maternité dont le bébé tient une orange, une des plus belles natures mortes au potiron, la petite fille au lapin… Comme le conservateur retournait le tableau apparut une autre petite fille, Paula avait réutilisé la toile. Vingt tableaux plutôt que dix-neuf.

Le long des murs et des portants métalliques, sous le plafond bas, dans la lumière des néons : une froide exposition sur le sol de béton gris, mais intime aussi, et la lumière et l'air et le grand jour ramèneraient les tableaux à la vie.

*

Paula était une femme « vaillante et combative ». Ainsi la décrit Rilke neuf ans après sa mort

137

dans une longue lettre à Mathilde, la mère, le 26 décembre 1916. Il ajoute que ces deux mots, pourtant, ne disent encore rien de la Paula qu'il a connue. Et que les lettres que la mère veut publier n'en disent rien non plus. Il parle de la validité et de la grâce. Il dit que la dernière année, l'année « de sa nouvelle vie », Paula n'a su ou voulu savoir que deux choses : « le travail, et le destin ». Et puis il dit cette chose très simple : que Paula avait développé, à la fin de sa vie, « un extraordinaire style personnel ».

Nous œuvrons et nous sommes des corps. Rilke a écrit plus tard des phrases un peu bornées sur le choix qu'ont à faire les femmes entre enfanter et créer – ce « destin ». Et moi qui suis femme et artiste et qui ai enfanté dans les années 2000, je sais gré aux progrès de la médecine, qui écartent désormais le « destin », cette complication si fréquente, l'embolie pulmonaire.

La très aimante mère de Paula passa outre aux réticences de Rilke et publia un ensemble de lettres qui montrent sa fille en jeune Allemande, en héroïne de l'art, en amoureuse romantique. Ces lettres connurent un immense succès en Allemagne : une quinzaine de réimpressions et 50 000 ouvrages vendus entre les deux guerres[1]. Quand Rilke retombe dessus en 1923, et les relit bouleversé, c'est parce que la femme de ménage

1. 100 000 dès 1949.

du château où il réside les a reçues en cadeau de Noël. Les manuscrits du journal et d'une partie des lettres ont été engloutis par la Seconde Guerre mondiale, mais d'autres furent retrouvés et l'ensemble complété et réédité encore en allemand, et dans deux éditions universitaires américaines.

En Allemagne aujourd'hui, on trouve l'œuvre de Paula Modersohn-Becker en cartes postales, en magnets, en posters. On montre ses tableaux aux écoliers. Elle a son musée à elle à Brême. La postérité lui est vite venue : « Et maintenant ce sont les mêmes qui préparent un genre de gloire à ce travail », écrivait Rilke à Sidonie Nadherny le 8 novembre 1908 ; « les mêmes qui l'ont empêchée, retenue loin de sa solitude, de son progrès ». Mais Rilke, que fit-il pour sa postérité, à ne jamais la nommer[1] ? Otto géra son legs, Hoetger devint son champion et Vogeler lui consacra courageusement, en 1938, un article dans un magazine antinazi.

Elle fit rapidement partie de nombreuses expositions collectives, y côtoyant Ensor, Klee, Moll, Kokoschka, Matisse… Sa première exposition seule eut lieu à Brême en 1908, puis elles ne cessèrent de s'enchaîner. De très nombreux

---

1. En 1924, il l'évacue ainsi dans un entretien avec un universitaire : « Paula Modersohn, la dernière fois que je l'ai vue c'était à Paris en 1906, et je connaissais peu son travail à l'époque, et celui d'après, je ne le connais toujours pas. »

musées allemands et des collectionneurs privés achetèrent ses œuvres par lots. Et Ludwig Roselius lui bâtit son musée.

Roselius était un mécène brêmois qui fit une fortune colossale en inventant le café décaféiné en 1906. Il acheta toute une partie de la rue Böttcher et confia les plans à Hoetger. La « Maison Paula Becker-Modersohn » ouvrit ses portes en 1927. Roselius tenait à l'appeler Becker *d'abord*. Toute en rondeurs et inventions, à la fois austère et gaie, un bonbon de briques, la maison était le premier musée du monde consacré à une artiste femme. Il existe toujours, reconstruit à l'identique après la guerre, et la Böttcherstraße est la rue touristique de Brême.

En 1937 les nazis « purgèrent » les musées allemands de 70 tableaux de Paula. Beaucoup furent détruits, d'autres vendus, quelques-uns montrés comme « dégénérés », ce qui est à son honneur. Les nazis avaient un problème avec cette jeune artiste qui n'était ni cuisine, ni église, ni tellement enfants. Hoetger et Roselius avaient fait inscrire sur la façade de son musée un hommage singulier, provocant, en lettres d'or sous la figure d'un ange armé d'une épée : « En témoignage de l'œuvre d'une femme noble, elle se tient, victorieuse, pendant que s'éteint la réputation héroïque des hommes courageux. » Les nazis voulaient faire effacer la phrase. Roselius, composant avec eux, ne changea qu'un seul mot : il remplaça « pendant que » par « jusqu'à ce que ». Après la guerre, « pendant que » fut rétabli.

Pourquoi n'est-elle connue qu'en Allemagne ? Pourquoi *sa* ville de Paris ne l'a jamais exposée ? Elle est allemande, certes, mais pas plus que Picasso n'est espagnol ou Modigliani italien. L'inachèvement objectif de l'œuvre est-il à ce point un obstacle ? Ou faut-il croire que le fait d'être femme l'arrêta à la frontière ? Faut-il croire qu'elle n'avait pas son visa universel ?

*

Rilke invective le collier d'ambre jaune, dans le *Requiem*. Dans la lourdeur des perles, que reste-t-il de Paula ?

Je me promenais dans la maison de Worpswede, un ruban rouge entre moi et un vaisselier, quelques assiettes, et son dernier tableau, dramatiquement exposé sur un chevalet. Je repensais à la maison de Dostoïevski à Saint-Pétersbourg, à son chapeau et son parapluie, aux fils électriques sous le bureau pour alimenter les fausses bougies. Je repensais à la tour Martello de Joyce à Dublin, à la romanesque théière bleue, aux tasses. À la maison d'Arno Schmidt à Bargfeld, au bureau figé le jour de sa mort, à ses lunettes, à la boîte de café dans la cuisine, le dernier café de sa vie.

Des objets devenus comme des hologrammes, présents mais disparus avec les mains qui leur donnaient leur poids. Ainsi demeurent, déchirants et stupides, les objets de nos morts. Si le collier de Paula lui survit quelque part, voit-on, à travers l'ambre, l'abeille de son regard ?

Elle est ici, Paula, avec ses tableaux. Nous allons la voir.

*

REMERCIEMENTS

J'ai écrit cette biographie pendant qu'avec Julia Gari-morth et Fabrice Hergott nous préparions l'exposition Paula Modersohn-Becker au musée d'Art moderne de la Ville de Paris, programmée d'avril à août 2016 : un printemps et un été pour Paula, cent dix ans après son dernier séjour parisien. Écrire, montrer, c'était pour moi le même geste amoureux.

Je voudrais aussi remercier Michel Vincent, du Centre culturel franco-allemand d'Essen, pour ses traductions à voix haute, pour son sens si amical de la logistique, et pour sa relecture.

Diane Radycki, pour l'invitation à New York, pour notre précieuse conversation par lettres, et pour sa relecture. Et pour son hospitalité, Monica Strauss.

Susanne Gerlach, de la Böttcherstraße à Brême, pour son formidable accueil.

Wolfgang Werner, inépuisable mine sur Paula.

Verena Borgmann.
Guillaume Faroult.

Sylvain Amic.
Hella Faust.
Anna Frera.
Hanna Boghanim.
Stéphane Guégan.
Jean-Marc Terrasse.
Emiliano Grossman.
Frank Laukötter.
Élisabeth Lebovici.
Emmanuelle Touati.

BIBLIOGRAPHIE

Günter Busch & Liselotte von Reinken, *Paula Modersohn-Becker in Briefen und Tagebüchern*, Fischer, 1979. Édité et traduit en anglais par Arthur S. Wensinger, Carole Clew Hoey, *Paula Modersohn-Becker, the letters and journals*, Northwestern University Press, 1998. Tous les extraits de journaux que je cite en sont tirés sauf ceux de Rilke, et plusieurs lettres.

Günter Busch et Wolfgang Werner, *Paula Modersohn-Becker, Werkverzeichnis der Gemälde*, catalogue raisonné, Hirmer Verlag, deux tomes, 1998.

Paula Modersohn-Becker Briefwechsel mit Rainer Maria Rilke, Insel-Bücherei n° 1242, 2011. Correspondance de Paula avec Rilke.

Rilke, *Œuvres III, Correspondance*, édition établie par Philippe Jaccottet, traduction de Blaise Briod, Philippe Jaccottet et Pierre Klossowski, Seuil, 1976.
Rilke, Tsvetaïeva, Pasternak, *Correspondance à trois*, traduction Philippe Jaccottet, Gallimard, coll. « L'Imaginaire », 1981.
Rilke, *Lettres sur Cézanne*, traduction de Philippe Jaccottet, Seuil, 1991.

Rilke, *Journaux de jeunesse*, traduction de Philippe Jaccottet, Seuil, 1989.

Rilke, *Journal de Westerwede et de Paris*, traduction de Pierre Deshusses, Rivages Poche, 2003.

Rilke, *Requiem*, traduction de Jean-Yves Masson, édition bilingue, Fata Morgana, 1996 ou Verdier poche 2007 ; ou traduction de Lorand Gaspar, Seuil, 1972.

Rilke, *Worpswede, Lettres à un jeune poète*, et *Les Carnets de Malte Laurids Brigge*, in *Œuvres en prose*, édité et traduit sous la direction de Claude David avec Rémy Colombat, Bernard Lortholary et Claude Porcell, Gallimard, coll. « Bibliothèque de la Pléiade », 1993.

Rilke, *Élégies de Duino*, traduction de François-René Daillie, édition bilingue, L'Escampette, 2006.

Rilke, *Notes sur la mélodie des choses*, traduction de Bernard Pautrat, édition bilingue, Allia, 2008.

Jens Peter Jacobsen, *Niels Lyhne*, traduction de Martine Remusat, Stock, 1928.

Knut Hamsun, *Pan*, traduction de Georges Sautreau, Calmann-Lévy, 1985.

Émile Zola, *L'Œuvre*, éditions G. Charpentier, 1886.

Henrik Ibsen, *Maison de poupée*, traduction de Marc Auchet, Le Livre de Poche, 2002.

Virginia Woolf, *Un lieu à soi*, traduction de Marie Darrieussecq, Denoël, 2016.

Ramuz vu par ses amis, L'Âge d'homme, 1988.

Correspondance adressée à Hayashi Tadamasa, sous la direction de Brigitte Koyama-Richard, Kokushokankô-dai, Institut de Tokyo, 2001.

Diane Radycki, *Paula Modersohn-Becker : The First Modern Woman Artist*, Yale University Press, 2013.

Eric Torgersen, *Dear Friend : Rainer Maria Rilke and Paula Modersohn-Becker*, Northwestern University Press, 1998.

Maïa Brami, *Paula Becker : la peinture faite femme*, éditions de l'Amandier, 2015.

Ralph Freedman, *Rilke, la vie d'un poète*, traduction de Pierre Furlan, Solin Actes Sud, 1996.

W.G. Sebald, *Les Émigrants*, traduction de Patrick Charbonneau, Actes Sud, 1999.

L'argent, l'urgence est le titre d'un roman de Louise Desbrusses paru chez P.O.L en 2006.

Il existe de nombreux catalogues et beaux livres sur l'œuvre de Paula, ainsi celui d'Averil King (*Paula Modersohn-Becker*, Antique Collector's Club, 2009). La plupart sont publiés en Allemagne. Le plus récent à ma connaissance est le catalogue de l'exposition de 2014 au musée Louisiana du Danemark, avec l'article de Tine Colstrup, « Venus of Worpswede ». Plusieurs biographies existent en allemand, dont celle de Rainer Stamm, *Ein kurzes intensives Fest – Paula Modersohn-Becker*, Reclam-Verlag, 2007.

Siân Reynolds, *Comment peut-on être femme sculpteur en 1900 ? Autour de quelques élèves de Rodin*, Persée, 1998, www.persee.fr, avec la citation de Kathleen Kennet (*Self Portrait of an Artist*, mémoires, 1949).

Denise Noël, *Les Femmes peintres dans la seconde moitié du XIXᵉ siècle*, https://clio.revues.org/646, 2004, avec la citation de Sophie Schaeppi (*Journal*, 1892).

DU MÊME AUTEUR

Traductions

UN LIEU À SOI *de Virginia Woolf,* 2016, Denoël

BROUILLON D'UN BAISER : PREMIERS PAS VERS FINNE-
   GANS WAKE *de James Joyce,* 2014, Gallimard

TIGRE ! TIGRE ! *de Margaux Fragoso,* 2012, Flammarion

TRISTES PONTIQUES *d'Ovide,* 2008, P.O.L

COLLECTION FOLIO